Comment j'ai décroché du gluten

Charlotte Debeugny

présente

Comment j'ai décroché du gluten

Illustrations
Catherine Pioli

MARABOUT

sommaire

Ce serait donc toi le responsable de tous mes problèmes de bidon ?
Coquin, va !

INTRODUCTION

Le gluten : ami, ennemi ou autre chose ?

Vous vous sentez fatigué, ballonné, vous avez l'impression que quelque chose ne tourne pas rond ? Vous êtes-vous déjà demandé si vous étiez sensible au gluten ?

Le gluten se trouve dans les céréales, comme :
- le blé,
- le seigle,
- l'orge,
- le triticale.

Il permet de donner de la **texture** et de l'**élasticité** aux aliments.

Vous avez déjà songé à limiter le gluten dans votre alimentation, mais vous ne savez pas par où commencer ?

Le gluten se trouve dans de nombreux produits, comme :
- les pâtes, les pizzas et les raviolis,
- le pain,
- le couscous,
- les sauces,
- les gâteaux et les céréales pour le petit déjeuner.

Vous pensez alors au pain que vous avez mangé au petit déjeuner, à votre sandwich du midi et à votre plat de pâtes du soir... Le gluten est **partout** et s'immisce constamment dans votre alimentation et votre vie.

Il vous arrive de vous réveiller tremblant après un cauchemar dans lequel vous étiez poursuivi par des baguettes et des croissants ?

Les personnes souffrant de la **maladie cœliaque**, une maladie auto-immune qui endommage le circuit digestif, doivent **absolument éviter le gluten**. Les personnes souffrant d'une **allergie au blé** doivent éviter le blé, mais pas forcément les autres céréales contenant du gluten. Au-delà de ces cas bien précis, une zone grise se dessine pour les personnes souffrant :
- du syndrome du côlon irritable,
- d'intolérances liées à des douleurs abdominales,

- de sensations de ballonnement,
- de problèmes de constipation ou de coliques,
- et même de symptômes non liés à la digestion, comme des réactions cutanées ou des manifestations régulières de fatigue.

Ces manifestations pourraient-elles être liées à la quantité totale de gluten que nous consommons chaque jour ? Cela est-il tout simplement une **question de dosage** ?

La question du dosage

! Chaque individu consomme en moyenne en France 109 kg de blé par an. Cela représente **2 kg de blé par semaine** sous la forme de tartines, baguettes, céréales, sandwichs, pâtes, etc. Et cette estimation ne prend même pas en compte le **gluten caché** mais ajouté dans de nombreux aliments industriels.

Bien, il vous suffit d'acheter des produits étiquetés « sans gluten », vous dites-vous, pour passer à un mode alimentaire « sans gluten ». Or, ce n'est pas si simple !

L'évolution du marché des produits sans gluten est hallucinante ! Le marché du « sans gluten » est l'un de ceux qui connaissent la **plus forte croissance dans le monde**. La France est le 4e plus gros marché en Europe et les ventes de produits sans gluten y ont **triplé ces cinq dernières années**. Le marché le plus important est celui des produits dédiés à la pâtisserie et à la confiserie, qui contiennent traditionnellement du blé. Mais les produits sans gluten sont vendus à des prix élevés, parfois **trois fois plus cher** que leur équivalent avec gluten. Oui, vous avez bien lu, on passe dans une autre échelle de prix pour des produits alimentaires...

Vous vous posez encore de nombreuses questions sur ce produit et sur les différentes allergies et intolérances alimentaires ?

Ce livre compte bien y répondre. Nous regarderons tout d'abord en détail ce qui provoque ces réactions face au gluten et, avec l'esprit positif qui vous caractérise, nous listerons toutes ces bonnes céréales naturellement sans gluten que vous pouvez manger sans crainte.
Nous vous donnerons ensuite des **astuces pratiques** sur les maladies, les allergies et les sensibilités associées au gluten pour vous aider à mieux les détecter.
Le marché du « sans gluten » et les ingrédients présents dans les aliments sans gluten produits industriellement seront aussi décrits minutieusement.

Les produits industriels sans gluten n'ont pas forcément de meilleures qualités nutritionnelles !

Enfin, vous pourrez expérimenter de nombreux conseils et astuces pour limiter votre consommation de gluten et tirer également profit pour cela des **45 recettes faciles** et d'un **plan de menus équilibrés** sans gluten.

Vous voulez une information claire, mesurée et vérifiée sur ce sujet ?

Ce livre s'adresse aussi bien à ceux d'entre vous qui veulent « décrocher » du gluten ou adopter un régime alimentaire faible en gluten qu'à ceux qui souhaitent en savoir plus sur cette nouvelle mode du « tout sans gluten » et se faire une opinion factuelle et équilibrée sur le sujet pour l'utiliser lors de dîners mondains.
Nous nous référons aux **dernières études scientifiques** pour établir une approche raisonnable, équilibrée et mesurée dans un environnement toujours très manichéen et excessif quand on discute des régimes alimentaires.

Vous voulez concilier plaisir de manger et régime sans gluten ?

Ce livre met en avant le bon sens, le plaisir de manger et une approche sans gluten la plus naturelle possible, loin des produits industriels à la mode et très chers.
Il est tout à fait possible d'adopter une alimentation sans gluten avec style et panache tout en gardant votre joie de vivre.
Alors lancez-vous, préparez-vous un café, naturellement sans gluten, et découvrez ce qu'il faut retenir pour décrocher du gluten tout en optant pour une approche équilibrée !

Du haut de cette fourchette d'Ebly, 10 siècles nous contemplent...

1. *LES CÉRÉALES – LES BONNES, LES MAUVAISES ET LES OBSCURES*

Les céréales contenant du gluten, les céréales sans gluten et les céréales pour lesquelles on ne sait pas trop... On s'y perd ! Ce chapitre vous aidera à devenir un expert dans la détection du gluten et à comprendre pourquoi celui-ci est (peut-être) devenu un ennemi public.

Petite histoire du blé

On pourrait rédiger un livre uniquement sur le blé, mais on se contentera ici de quelques faits marquants et, rassurez-vous, même sans interrogation écrite sur le sujet, cela devrait toutefois vous intéresser.

Graines de céréales – blé – gluten

! Le blé est l'une des huit graines de céréales les plus cultivées dans le monde : **blé, maïs, riz, orge, sorgho, avoine, seigle, millet**. Le gluten est un terme générique pour décrire **certaines protéines** se trouvant au cœur de plusieurs types de céréales ; ces protéines contribuent à leur bon développement durant la germination et jouent un rôle essentiel dans leur structure et leur texture.
On trouve du gluten **dans le blé, le seigle et l'orge**. Les cinq autres graines de céréales (riz, maïs, sorgho, avoine, millet) ne contiennent naturellement aucun gluten.

Il était une fois le blé

D'après les études historiques, l'homme a commencé à cultiver le blé il y a **10 000 ans**. Cet événement important a permis à nos ancêtres de vivre désormais de **façon sédentaire**. Grâce à la culture et au stockage du blé, ils ont pu replanter les graines au printemps pour obtenir une nouvelle récolte. L'homme a tout d'abord mâché l'épi de blé, ce qui nécessitait de bonnes dents, avant d'apprendre à le broyer avec des pierres pour préparer une pâte en ajoutant un peu d'eau. L'humanité s'est ensuite établie dans des villages, a sophistiqué ses méthodes de culture, puis les villages sont devenus des villes interconnectées par des routes, désormais parcourues par des voitures... !

Et puis le pain...

Et les premiers boulangers, dans tout ça ? Les Égyptiens ont sans doute été les premiers à produire du pain fermenté à l'aide de levure sauvage vers 3000 av. J.-C. Les Romains ont ensuite amélioré la vitesse et l'efficacité du procédé de broyage en recourant à la force animale, ils ont également revu le design des fours utilisés.

Et après cela, les technologies...

Le reste est connu : les moulins à vent, la révolution agricole, les nouvelles méthodes de culture céréalière.

Et enfin des montagnes de blé

Le blé est désormais l'une des céréales les plus anciennes, les plus répandues et les plus cultivées dans le monde. Il constitue l'aliment de base pour 35 % de la population mondiale et représente l'une des sources principales de calories et de protéines dans l'alimentation humaine. La France est le plus grand producteur de blé en Europe avec une récolte attendue de 40,4 millions de tonnes en 2015.

Fait intéressant !

Le triticale est un hybride de blé et de seigle.
Il contient donc aussi du gluten !

Sommes-nous correctement constitués pour manger du blé ?

Les partisans du régime alimentaire des chasseurs de la préhistoire, le **régime « paléo »**, nous disent que l'espèce humaine n'a pas assez évolué pour manger des céréales et que, au lieu de consommer des produits que l'on trouve naturellement, nous abusons de céréales résultant de cultures intensives, ce qui génère maladies et obésité.

Les recherches des anthropologues semblent toutefois démontrer que l'homme se nourrit de **plantes et de céréales sauvages depuis très longtemps**, probablement depuis plus de 100 000 ans, et que nos organismes sont donc très bien adaptés à ce régime alimentaire. Par exemple, dans certains pays d'Asie, où la consommation de céréales relève d'une longue tradition, les organismes des populations produisent plus d'**amylase**, l'enzyme nécessaire à la digestion des féculents, que sur d'autres continents.

À l'époque paléolithique, les femmes cueillaient les céréales et les plantes sauvages tandis que les hommes chassaient. Osons une généralisation : est-ce pour cela que les femmes sont souvent plus portées sur les végétaux que les hommes ?

Toutefois, là où notre organisme manque peut-être encore d'adaptation, c'est pour les céréales raffinées et le pain industriel, dont nous raffolons, mais c'est un autre sujet.

Quatre hypothèses sur le gluten

Le blé voit désormais son étoile se ternir et certains le considèrent même comme l'ennemi public. Pourquoi en sommes-nous arrivés là ?

Les études démontrent que 20 à 45 % des adultes souffrant de sensibilités alimentaires les imputent spontanément au gluten.

Les recherches ont révélé quatre raisons possibles pour expliquer ce phénomène :

1. Les croisements sélectifs successifs ont-ils augmenté la quantité de protéines, donc de gluten, dans le blé moderne ?

Cette hypothèse, mise en avant par d'anciennes études, n'est aujourd'hui plus sérieusement considérée par le milieu scientifique. Le blé est naturellement un « monstre génétique » qui se développe facilement par croisements en milieu naturel. Il existe environ une trentaine d'espèces de blé pour plus de **30 000 variétés différentes**. Le blé possède également cette particularité selon laquelle certaines de ses espèces comprennent jusqu'à 4, voire 6 versions, du même gène.
L'espèce de blé principale, ***triticum aestivum*** sous son nom latin, est davantage connue en tant que **blé tendre** ou **froment**. L'autre espèce répandue est le **blé *durum***, qui pousse sous un climat chaud et sec. Ce dernier est surtout utilisé pour la fabrication des pâtes.

Le succès des variétés anciennes

! Toutes les espèces de blé pourraient légitimement être qualifiées d'anciennes car, après tout, une céréale qui existe depuis plus de 10 000 ans n'est pas vraiment moderne ! Toutefois, l'appellation « **blé ancien** » correspond aux variétés qui ont très peu évolué depuis les origines, contrairement aux variétés issues de croisements. Ces variétés de blé ancien incluent **l'épeautre**, **le farro**, bien connu dans le monde romain, mais aussi **le kamut** et **l'einkorn**. Ces graines de céréales, produites en petites quantités, sont utilisées dans des plats traditionnels.

Les tiges de blé moderne sont plus longues, avec des épis plus larges, donc plus faciles à moissonner. Cette augmentation de la taille des graines a pu accréditer la théorie selon laquelle elles contenaient davantage de gluten. Des chercheurs ont cependant établi que la quantité totale en protéines, donc en gluten, du blé du début du XXe siècle, récolté dans des conditions similaires, était équivalente à celle d'aujourd'hui. Des recherches menées sur certaines variétés de blé ont aussi analysé l'impact des engrais azotés susceptibles d'augmenter légèrement le contenu en protéines, donc en gluten.

Conclusion : en étudiant l'ensemble des variétés de blé et en considérant les différences d'environnements et de températures, aucun indice ne peut induire que l'agriculture moderne produit un blé plus riche en gluten, générant par là un nombre accru d'intolérances à ce produit.

2. Est-il possible que nous mangions tout simplement trop de blé ?

« Tout est empoisonné, car tout devient poison à partir d'une certaine quantité. C'est la quantité qui transforme des choses saines en poison. »
Paracelse, médecin suisse allemand du XVIe siècle

Si le blé contient toujours à peu près la même proportion de gluten, interrogeons-nous pour savoir pourquoi le nombre d'intolérances au gluten s'est aggravé. Est-ce malgré tout lié à notre consommation de blé ?
Une alimentation équilibrée, saine et riche en nutriments repose sur la **variété des goûts, des textures et des couleurs**. Ce régime diversifié aide à réduire les sensibilités et les intolérances alimentaires. En effet, manger en quantité importante et régulière un aliment pour lequel nous éprouvons une légère sensibilité peut la faire évoluer en intolérance alimentaire forte. Des études statistiques indiquent qu'une grande partie de la population a une alimentation routinière, reposant uniquement sur 27 aliments, essentiellement à base de blé ou de ses dérivés.
Bien que la consommation de pain se soit réduite en France pour atteindre **125 g par jour et par personne**, celle du blé, sous d'autres formes (céréales de petit déjeuner ou pâtes), s'est accrue. La France est le 4e plus grand consommateur de pâtes dans l'Union européenne.

Comme pour les sucres ajoutés, présents de manière sournoise dans des produits de toutes sortes, le blé et le gluten sont souvent ajoutés dans les composants de multiples **aliments industriels**. Le gluten peut être séparé du blé et devenir du « **gluten de blé** » ou modifié sous forme d'isolat de protéines de blé et ajouté à divers produits cuisinés. On le trouve dans :

- de nombreux plats préparés à base de viande,
- les glaces,
- les soupes,
- les sauces,
- les bonbons.

Il se peut donc que nous mangions beaucoup plus de blé que nous ne le pensons.

Selon des recherches récentes, des dérivés de blé peuvent être trouvés dans plus de 30 % des produits alimentaires vendus en supermarché.

Les études estiment que la consommation de gluten de blé et d'isolat de protéines de blé contenus dans les produits industriels a triplé depuis les années 1970.

> Le gluten de blé, une forme concentrée de protéines de blé, est très difficile à digérer, il est dur et quasiment incassable. Si l'on place une dent et un morceau de gluten pur dans un verre de cola, la dent se dissoudra avant le morceau de gluten !

Conclusion : oui, nous ingérons des quantités insoupçonnables de blé et de gluten. Beurk ! Voyez à ce sujet la fiche pratique « Le régime quotidien typique avec des tonnes de gluten ».

3. Les techniques de fabrication industrielle doivent-elles être remises en cause ?

Il ne s'agit pas ici de cracher dans la soupe. Les techniques modernes de fabrication alimentaire permettent, il est vrai, de ne plus passer des heures en cuisine. Pour gagner du temps, nous avons cependant collectivement oublié les **bienfaits nutritionnels des procédés traditionnels** de fabrication, impliquant de longues périodes de fermentation et de pétrissage qui réduisaient naturellement la quantité de gluten dans le pain.
À l'inverse, pour pouvoir préparer le pain en moins de 3 heures et demie, on ajoute dans le pain industriel de **la levure et du gluten** sous forme de gluten de blé. Les industriels utilisent également de la **farine hautement raffinée** qui, à quantité égale, contient davantage de gluten que la farine non raffinée. Nous gagnons du temps en production, au prix d'émulsifiants, d'enzymes et de conservateurs supplémentaires.

Le pain produit industriellement doit contenir davantage de levure et de gluten pour obtenir la même texture et le même craquant que le pain traditionnel.	Le pain au levain est un type de pain traditionnel avec un temps de fermentation supérieur à 12 heures. Il contient donc naturellement moins de gluten.
L'étiquette typique du pain produit industriellement : blé, eau, huile, sucre, gluten de blé (pour réduire le temps de fermentation), sel, levure, émulsifiants, conservateur – propionate de calcium (pour éviter la moisissure) –, acide ascorbique, gélifiant...	Le label du pain traditionnel indique quant à lui : blé, eau, levure, sel.

Conclusion : oui, nos processus de fabrication industrielle peuvent contribuer au développement des intolérances au gluten.

4. Le problème pourrait-il provenir d'un élément contenu dans le blé ou d'autres aliments, qui n'est pas le gluten ?

Le gluten pourrait-il en réalité être innocent de tout ce dont on l'accuse ?
Les chercheurs étudient actuellement d'autres protéines du blé : des inhibiteurs de **trypsine-amylase** ainsi que le **fructane**, un type de fibre que l'on trouve dans le blé mais aussi dans d'autres plantes. Le fructane semble en effet jouer un rôle important dans le syndrome du côlon irritable, qui génère des symptômes semblables à ceux des sensibilités alimentaires au gluten (ballonnements...). Le régime FODMAP, qui propose une approche pour limiter le syndrome du **côlon irritable**, est décrit en détail dans le chapitre 2.
Les **sensibilités au gluten** pourraient-elles aussi avoir un lien avec l'**inuline**, un type de fructane dérivé de la chicorée et des artichauts ? L'inuline est utilisée pour ajouter des fibres ou remplacer les graisses dans les produits industriels, y compris dans les produits « sans gluten ». La question peut se poser également pour d'autres **conservateurs et additifs** présents dans les produits industriels comme :

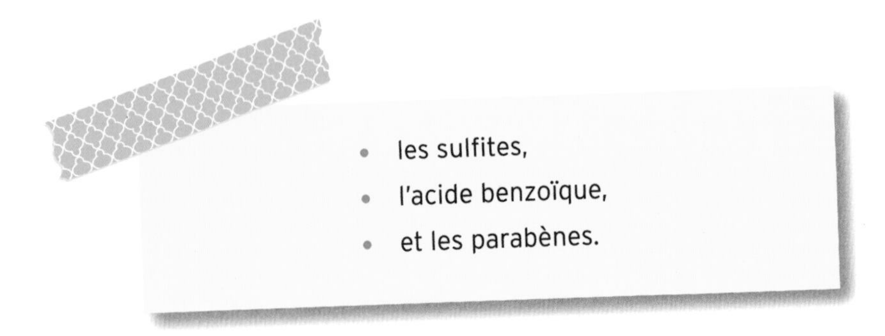

- les sulfites,
- l'acide benzoïque,
- et les parabènes.

Dans ce cas, la question de la sensibilité alimentaire devrait se gérer en limitant les produits industriels, qu'ils soient avec ou sans gluten.

Conclusion : le sujet reste ouvert, il est possible que certaines sensibilités liées au gluten soient en fait confondues avec les symptômes du côlon irritable ou assimilées à d'autres composants du blé que le gluten.

Fiche pratique : *le régime quotidien typique avec des tonnes de gluten*

Vous pensez manger du pain ou du gluten de manière modérée ? Le tableau page suivante présente la mesure des quantités de gluten absorbées sur une journée type.

Le gluten représente environ 75 % des protéines que l'on trouve dans le blé, et la proportion moyenne de protéines contenues dans la farine est de 11 %. Dans 100 g de farine, il y a donc 11 g de protéines et 8,25 g de gluten.

L'isolat de blé contient 45 % de gluten.

Pour mettre tout cela en perspective, la quantité maximale de gluten qui peut être tolérée quotidiennement par les personnes souffrant de la maladie cœliaque est de 6 mg. L'équivalent d'**1/8 de cuillerée à café de farine** ou d'1/350 de tranche de pain.

Et oui, c'est pour ainsi dire quasiment la tolérance zéro : vous comprenez maintenant pourquoi les gens atteints de cette affection doivent faire très attention à tout ce qu'ils mangent.

C'est un boulet à plein temps ! (voir chap. 2)

Le gluten absorbé dans la vie de tous les jours

Repas	Émotion	Aliments	Blé/gluten
Petit déjeuner	Stress pour déposer les enfants et être à l'heure au travail	2 tranches de pain industriel fait avec du gluten de blé (70 g) Confiture Beurre Jus de fruit	60 g de blé 5,8 g de gluten
Grignotage	Stressé, donc besoin de manger	1 petite madeleine	40 g de blé 3,3 g de gluten
Déjeuner	Encore speed !	Cantine Viande + sauce Haricots verts Riz Petit pain (50 g) Dessert sucré	2 g d'isolat de blé dans la sauce 0,9 g de gluten 40 g de blé 3,1 g de gluten 1 g d'isolat de blé 0,45 g de gluten
Petite pause	Fatigué	1 petit sablé	20 g de blé 1,7 g de gluten
Dîner	Toujours speed	1 bol de pâtes (poids cuit : 200 g) avec 1 tranche de jambon Salade verte 1 petite boule de glace	100 g de blé 7,15 g de gluten 0,5 g d'isolat de blé 0,22 g de gluten (dans la vinaigrette) 1 g d'isolat de blé 0,45 g de gluten
Total			265 g de blé 23,07 g de gluten

Fiche pratique : *le blé en détail*

Le grain de blé entier est composé du grain tel qu'on le trouve à l'état naturel avant tout traitement.

Il est structuré en trois parties :

- le **son**, qui constitue les couches minces sur le grain et qui joue son rôle protecteur. Ces couches sont riches en antioxydants et en fibres ;
- la **graine intérieure** plus petite, appelée le « **germe** », est l'embryon de la plante ; elle peut donc germer pour former une nouvelle plante. C'est une source riche en matières grasses, en protéines et en sels minéraux tels que le zinc et le magnésium ;
- la majeure partie de la plante, appelée l'« **endosperme** », agit comme source alimentaire pour le germe. Il est riche en protéines et en hydrates de carbone, mais contient de plus faibles quantités de vitamines et de minéraux par rapport à la couche de son et au germe.

Le gluten se trouve dans l'endosperme et se compose de deux protéines :

- la gliadine, qui provoque la réaction auto-immune dans la maladie cœliaque,
- et la gluténine.

Le traitement d'un grain de blé implique de retirer le son et le germe, puis de **broyer l'endosperme** en une **fine farine**. Tout cela réduit malheureusement la quantité de nutriments et la teneur en fibres, naturellement présents dans le grain entier. C'est pourquoi nous devrions toujours préférer les grains entiers.

Le gluten est-il un aliment essentiel à la vie ?

On reproche principalement aux régimes sans gluten **leur faiblesse en nutriments**, notamment en **fibres** et en **vitamines B**, d'où un risque de carence en nutriments essentiels.

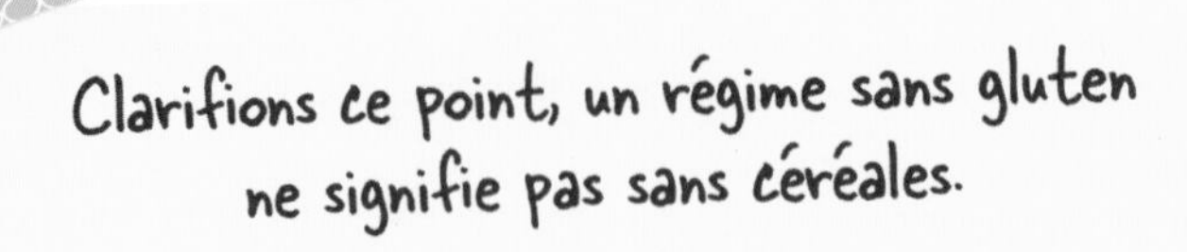

Certaines céréales sans gluten contiennent autant de nutriments que le blé, si ce n'est plus. Ce dernier, il est vrai, n'est pas essentiel à notre santé.

Le problème vient plutôt de notre manière de remplacer le blé. Le blé est omniprésent et disponible très facilement, alors que d'autres céréales naturellement dénuées de gluten ne sont disponibles qu'en **magasins spécialisés** et ne sont certainement pas au menu de votre brasserie locale.

Si vous suivez un régime ne contenant aucune céréale, vous risquez en effet **des carences** en certains nutriments. Si vous faites les changements suivants :

- **blé, orge, seigle → millet, mais, riz, sorgho, avoine**

il n'y a dès lors plus aucun risque.

! Le **quinoa**, le **sarrasin**, le **fonio** et l'**amarante** ne sont techniquement pas des céréales, mais plutôt des graines. Naturellement riches en fibres et en nutriments, ils ne contiennent pas de gluten.

Pour un régime équilibré

Tableau comparatif des nutriments essentiels présents dans différents types de céréales et de graines :

Nutriment pour 100 g de poids cru	Farine de blé entier	Farine blanche	Avoine	Riz blanc	Quinoa
Calories	339	343	379	380	368
Protéines	11 g	12 g	13 g	7 g	14 g
Glucides	73 g	76 g	69 g	80 g	64 g
Graisses	2 g	1 g	7 g	1 g	6 g
Fibres	12 g	3,9 g	10 g	1 g	7 g
Vitamines B	7 mg (22 % AJR)	2 mg (7 % AJR)	6 mg (20 % AJR)	2 g (8 % AJR)	3,7 g (12 % AJR)
Magnésium	138 mg (34 % AJR)	25 mg (7 % AJR)	138 mg (34 % AJR)	25 mg (6 % AJR)	197 mg (49 % AJR)
Zinc	2,9 mg (20 % AJR)	0,6 mg (6 % AJR)	3,6 mg (24 % AJR)	1,1 mg (7 % AJR)	3,1 mg (21 % AJR)
Sélénium	70 mcg (100 % AJR)	0	30 mcg (41 % AJR)	15 mcg (22 % AJR)	8,5 mcg (12 % AJR)
Fer	3,9 mg (22 % AJR)	0,9 mg (10 % AJR)	4,3 mg (24 % AJR)	0,8 mg (4 % AJR)	4,6 mg (25 % AJR)

Les céréales complètes, qu'elles contiennent ou non du gluten, sont en général une source riche :

- en fibres,
- en vitamines B,
- en minéraux essentiels comme le magnésium et le zinc.

Un régime sans gluten sera équilibré s'il contient :

- des céréales non raffinées,
- des apports en fibres,
- des apports en vitamines B,
- des apports en minéraux.

Beaucoup des produits sans gluten que l'on trouve dans le commerce sont fabriqués à partir de :

- **céréales raffinées** telles que le maïs et le riz,
- **féculents extraits de plantes** comme le tapioca et la pomme de terre, qui contiennent moins de nutriments que les céréales complètes.

• Échelle du gluten :

*L'avoine est souvent contaminée par de petites quantités de gluten car elle peut être stockée ou traitée dans des endroits où le blé transite. Elle devrait donc être évitée par les personnes souffrant de la maladie cœliaque ; on peut cependant trouver dans le commerce de l'avoine sans gluten.

Petit Rappel Important

Un peu perdu ?
Il n'y a que 3 céréales qui contiennent naturellement du gluten :
Seigle, **Orge** et **Blé**.
SOB (le verbe pleurer en anglais !!)
Toutes les autres céréales et graines sont naturellement sans gluten.

Voila !

La règle des 3 P pour réussir un régime sans gluten : Planning, Patience et Pondération

Le **planning** : vous devez prévoir vos repas à l'avance pour vous assurer qu'ils sont équilibrés et que des options sans gluten sont disponibles (voir chap. 3 et 4).
La **patience** : vous devrez vous armer de patience pour tenir face aux personnes de votre entourage qui n'ont jamais entendu parler du gluten ou qui ont de fausses idées sur la question (voir chap. 3).
La **pondération** : choisir de suivre un régime sans gluten est une **décision personnelle** qui doit vous convenir. D'autres personnes autour de vous ne changeront pas leurs habitudes alimentaires, évitez de leur faire la morale, même si c'est tentant (voir chap. 4).

Quiz : *Êtes-vous accro au gluten ?*

1. Dans vos cauchemars, vous êtes…

A. Poursuivi dans un champ de blé par un avion.

B. Attaqué par des zombies.

C. Attaché dans votre cuisine à une distance de sécurité d'une armoire pleine de pains au chocolat et de gâteaux qui ne demandent qu'à être mangés.

2. À l'heure du petit déjeuner, vous descendez dans la cuisine pour prendre :

A. Deux tranches de pain sans gluten avec un smoothie.

B. Du pain d'épeautre acheté sur le marché avec du fromage de chèvre et un fruit.

C. Trois tranches de brioche industrielle avec de la confiture et un verre de jus de fruit.

3. Dans la matinée, vous vous trouvez dans une salle de réunion avec des miniviennoiseries sur la table.

A. Vous commencez à hyperventiler et demandez que ce poison soit retiré de votre vue.

B. Vous les ignorez, votre petit déjeuner vous a bien calé pour la matinée et vous n'avez pas déjà faim.

C. Vous commencez à saliver et en prenez trois, car ce serait du gâchis de les laisser sur la table.

4. C'est l'heure du déjeuner et votre plat favori est :

A. Tout ce qui peut être garanti sans gluten, car c'est forcément bon pour la santé.

B. Un plat équilibré, vous évitez toutefois le pain du panier sur la table.

C. Une pizza avec un morceau de pain additionnel et une part de tarte aux pommes.

5. C'est le creux de l'après-midi, vous sentez que vous avez besoin d'un en-cas roboratif. Vous choisissez :

A. Un biscuit sans gluten.

B. Une poignée de noix et de noisettes avec un fruit.

C. Un paquet de biscuits du distributeur.

6. Vous êtes dans le train du retour chez vous et votre voisin déguste un hamburger.

A. Vous vous reculez pour éviter l'odeur toxique, infestée sans doute de molécules de blé, tout en vous retenant de ne pas condamner publiquement une telle inconscience : la compilation de la restauration rapide et du blé.

B. Vous commencez à réfléchir à votre repas du soir.

C. Vous lui en demandez un morceau, car vous êtes au bord de l'hypoglycémie.

7. Vous êtes enfin à la maison, fatigué et affamé après cette longue journée. Vous voulez quelque chose de rapide, vous choisissez :

A. Un bol de pâtes et de sauce tomate sans gluten.

B. Une omelette, de la salade et un petit morceau de pain d'épeautre, car il ne se conserve pas très longtemps.

C. Un sandwich avec du pain additionnel au cas où.

8. Vous vous couchez, tout en réfléchissant à votre agenda du lendemain :

A. Ce sera un autre jour sans gluten.

B. Vous cherchez comment mieux concilier votre emploi du temps et votre stress.

C. Vous vous demandez s'il existe une technologie permettant de tripler l'épaisseur des croûtes de pizza.

Résultats

ESSENTIELLEMENT DES A :
VOUS ÊTES LE SUPERHÉROS DU « SANS GLUTEN ».

Vous êtes farouchement déterminé à retirer le gluten de votre alimentation. Gardez en tête que les produits industriels sans gluten ne sont pas forcément meilleurs pour la santé, du fait des féculents raffinés et des autres compléments utilisés en remplacement. Ils seront en tout cas moins bons pour votre portefeuille.

Si vous êtes juste sensible au gluten et non allergique ou atteint par la maladie cœliaque, le chapitre 2 sera une aide précieuse pour mieux comprendre vos symptômes et trouver des céréales pauvres en gluten et faciles à digérer. Quel que soit votre niveau d'intolérance au gluten, gardez toujours un ton mesuré, car il vous faudra bien vivre avec ceux pour qui le gluten n'est pas un poison. Un régime sans gluten ne doit pas prendre le contrôle de votre mode de vie.

Le chapitre 3 vous donnera plus d'informations sur les produits industriels sans gluten et les mythes qui les entourent. Essayez aussi les 40 recettes de ce livre : économies et meilleure santé à la clé !

ESSENTIELLEMENT DES B :
VOUS ÊTES COOL AVEC LE GLUTEN.

Votre approche du blé et du gluten est équilibrée, vous ne les évitez pas à tout prix, mais vous n'en raffolez pas non plus. Si vous avez des doutes sur de possibles sensibilités, le chapitre 2 vous clarifiera les idées sur le gluten.

Regardez aussi au chapitre 5 notre semaine de menus alternatifs, et essayez-les !

Enfin, à la lecture du premier chapitre et de ce quiz, vous avez tout de suite compris que le pain d'épeautre artisanal était un bon choix !

ESSENTIELLEMENT DES C :
VOUS ÊTES LE SUPERHÉROS DU « TOUT GLUTEN ».

Impressionnant ! Vous gagnez la médaille et le tee-shirt « I love le gluten ». Vous consommez beaucoup de gluten, plus que vous ne le pensez sans doute. Mis à part les intolérances, une alimentation variée est la base d'une bonne santé. Si votre régime est constitué de blé à hauteur de 50 %, c'est un peu excessif, non ?

Vous pensez tout digérer ? Certains symptômes de sensibilité au gluten ne sont pas évidents à détecter, parcourez le chapitre 2 pour vérifier que vos coups de fatigue ne sont pas liés à votre alimentation.

Les chapitres 3 et 4 vous donneront des idées pour varier les céréales, avec peu ou sans gluten. Le blé est partout, on peut toutefois en consommer moins, sans forcément se priver ou prendre des risques pour la santé. Tellement d'aliments sont à notre disposition que ce serait dommage de ne pas sortir du blé.

Notes

...Mal de ventre...
Bon, alors soit tu as fait un déni de grossesse et ce sont les premières contractions... Soit tu as la maladie coeliaque... blabla... allergies... ballonnements... Ulcère? Diarrhée! Appendicite?!

Rhaaa mais laisse-moi, j'ai juste mes règles!

2. LE GLUTEN ET LA SANTÉ

Allergie, sensibilité, maladie, ce n'est pas très clair ? Vous n'êtes pas le seul ! Chaque type de problème lié au gluten est détecté et traité différemment. Vous voulez en savoir plus ? Prenons le chapeau et la loupe de Sherlock Holmes et lançons-nous !

La maladie cœliaque

C'est une maladie auto-immune déclenchée par l'**exposition au gluten**. On estime qu'elle atteint environ 1 % de la population ; elle peut être grave si elle n'est pas traitée correctement. On associe cette maladie à un gène particulier de la famille HLA. Notre patrimoine génétique est donc déterminant et nous ne sommes pas tous égaux face à cette maladie.

Une maladie « auto-immune »

Chez les personnes souffrant de cette maladie, le système immunitaire réagit brutalement lorsqu'il détecte du gluten ; il le considère comme un dangereux envahisseur des intestins et l'attaque en « **s'automutilant** ». C'est un peu comme si le système immunitaire utilisait une bombe atomique pour se défendre sur son propre territoire, ce qui cause inévitablement des dégâts ! Dans notre cas, les parois de l'**intestin grêle** sont fortement touchées. Pour rappel, les nutriments sont absorbés par de minces filaments situés sur les parois de l'intestin grêle (les villosités) ; lorsque ces filaments sont endommagés, les nutriments essentiels comme :

- le fer,
- le calcium
- et les protéines

ne sont plus absorbés en quantité suffisante. Ces carences augmentent le risque de contracter des maladies comme :

- l'anémie,
- l'ostéoporose,
- voire même certains cancers.

Les anticorps liés au gluten

Dans tous les cas, on vérifie le niveau des anticorps de gluten avec une **prise de sang**. Ils sont en effet produits **en masse** par le système immunitaire, si celui-ci réagit agressivement au gluten. Si le test est positif, le diagnostic de la maladie cœliaque est confirmé par des **examens complémentaires** (généralement une endoscopie et une biopsie) pour vérifier l'état des filaments de l'intestin grêle.

> ! Aujourd'hui, le seul traitement contre la maladie cœliaque consiste à éviter toute absorption de gluten pour permettre aux filaments de l'intestin grêle de se réparer progressivement et à l'organisme d'absorber de nouveau les nutriments dont il a besoin.

> Si vous souffrez fréquemment de ballonnements, de douleurs abdominales et de diarrhée, parlez-en à votre médecin traitant, qui vous prescrira une prise de sang de détection de la maladie cœliaque.

À savoir

- Les anticorps générés par la maladie cœliaque ne sont détectables que si vous consommez du gluten, ne l'évitez donc pas avant d'avoir effectué la prise de sang.
- Le diagnostic de la maladie cœliaque peut sacrément entamer le moral, car **une modification radicale à vie de l'alimentation** est impérative, excluant toutes les formes de gluten.
- Fini donc les produits à base de blé, de seigle et d'orge, mais aussi ceux à base d'autres céréales susceptibles d'être contaminées. C'est le cas de l'avoine qui a poussé à côté d'un champ de blé ou qui a été traitée dans la même usine. Même une très faible quantité de gluten peut en effet déclencher une **inflammation** et de **violentes douleurs** au ventre chez certains sujets.
- D'aucuns souffrent de la maladie cœliaque et ont un intestin grêle endommagé sans pourtant ressentir les symptômes douloureux décrits plus haut, d'où une détection plus compliquée. Si vous vous sentez constamment fatigué, votre médecin vous

recommandera sans doute de vérifier vos **niveaux de fer** dans le sang et de tester votre **thyroïde**. Si vos niveaux de fer sont anormalement bas, parlez avec lui du test de la maladie cœliaque.

Est-il possible de guérir de la maladie cœliaque ?

! Des travaux de recherche sont en cours pour élaborer un vaccin à base de fragments essentiels de la molécule de gluten qui ne peut être digérée par les personnes atteintes. Des transplantations de matière fécale sont à l'étude (!) et, en amont, on tente de mettre au point des variétés de blé qui n'induisent pas la même réaction auto-immune. À suivre...

Les allergies alimentaires

Ce sont des **réactions du système immunitaire** à des types particuliers d'aliments. Nous parlons ici d'un phénomène différent de la maladie cœliaque, car le système immunitaire ne s'endommage pas lui-même, mais génère une série de **composants chimiques** à la source des symptômes allergiques.

Qu'est-ce qu'un anticorps ?

! C'est une protéine produite par notre système immunitaire pour identifier et contrer des substances potentiellement toxiques pour notre organisme. C'est le guerrier défenseur de notre corps qui s'attache aux substances étrangères pour les détruire.

Les allergies alimentaires sont à l'origine d'une réaction immunitaire bien spécifique, prenant la forme d'anticorps IgE. Ces anticorps sont produits quand l'organisme est exposé à un type d'aliment bien particulier : ils stimulent la production par d'autres cellules de composants chimiques telle l'histamine. Cette dernière, par exemple, est à l'origine des symptômes typiques des allergies comme :

- le gonflement et l'irritation de la peau,
- des difficultés de respiration.

Une allergie alimentaire déclenche des symptômes dans les heures qui suivent l'absorption de l'aliment concerné. Ces symptômes vont d'une légère réaction à un malaise important potentiellement très dangereux.

! L'**anaphylaxie** est une réaction allergique très grave : elle apparaît quelques secondes après l'absorption de l'élément allergique et nécessite une prise en charge médicale immédiate.

Nous verrons dans la prochaine fiche pratique les allergies alimentaires les plus fréquentes.

L'allergie au blé

Combien de personnes souffrent d'allergie au blé ? Il n'est pas facile de trouver des chiffres exacts. On peut toutefois estimer que :

- 1 à 3 % de la population adulte est concerné par les allergies en général ;
- 4 à 6 % des enfants sont touchés par des allergies, même si certains parviennent à s'en débarrasser en grandissant, notamment pour les allergies au lait ou aux œufs ;
- environ 0,2 % de la population seulement souffre d'allergie au blé, ce qui est vraiment loin d'une pandémie…

Un problème de perception ?
Plus de 20 % de la population pense souffrir d'allergies alimentaires, alors que celles-ci sont en réalité beaucoup moins répandues.

! Une allergie au blé découle d'une réaction à au moins l'un des quatre types de protéines présentes dans le blé, souvent l'**albumine** ou la **globuline**. C'est une allergie reconnue, tandis que l'allergie au gluten n'existe pas en tant que telle, malgré tout ce que vous pouvez lire sur Internet à ce sujet. Il est possible d'être sensible au gluten, mais pas d'y être allergique.

Si vous souffrez d'une allergie au blé, il est donc fort probable que vous puissiez consommer sans problème d'autres céréales contenant du gluten, comme l'orge et le seigle.
Ne cherchez pas à vous autodiagnostiquer, vous risqueriez de vous restreindre là où ce n'est pas utile. Consultez votre médecin traitant à ce sujet et effectuez les tests si nécessaire.

La seule façon d'éviter les effets d'une allergie au blé aujourd'hui est de supprimer tout aliment en contenant.

L'**épeautre** est une variété de blé. Les produits à base d'épeautre sont parfois incorrectement labellisés « sans blé et sans gluten » ; ils doivent donc être évités si vous êtes allergique au blé.
Certaines personnes allergiques au blé parviennent cependant à tolérer l'épeautre. Vous pouvez effectuer un test alimentaire en clinique avec de l'épeautre pour voir si vous êtes dans cette situation.

Les causes des allergies

Pourquoi certains d'entre nous souffrent-ils d'allergies alimentaires ? Une réponse honnête est que… nous ne savons pas. Elles résultent peut-être de circonstances particulières avec l'exposition de certains patrimoines génétiques à des environnements bien précis. Une hypothèse étudiée est liée aux améliorations des conditions d'hygiène : vivre dans des environnements trop propres pourrait rendre les **systèmes immunitaires plus sensibles** aux allergies. À suivre…

Les allergies alimentaires sont-elles de plus en plus fréquentes ? Les statistiques ne sont pas explicites sur cette question, d'autant plus que les personnes interrogées confondent facilement allergie et sensibilité alimentaire. Il semblerait toutefois que la tendance soit **à la hausse**.

Après revue détaillée des symptômes, les allergies alimentaires peuvent être détectées grâce à **des tests cutanés ou sanguins** menés en parallèle à des essais alimentaires en milieu hospitalier.

Intolérances, sensibilités et allergies

Les allergies sont moins fréquentes que les intolérances et les sensibilités alimentaires qui se déclenchent quand l'organisme a du mal à digérer un composant particulier d'un aliment. Il y est alors très sensible. Ce peut être en effet le cas avec la caféine ou le lait. Pour ce dernier, s'il y a un manque de lactase – enzyme qui facilite la digestion du lactose, le sucre contenu dans le lait –, alors la digestion est difficile. Les symptômes sont en général d'ordre gastrique et intestinal et dépendent des quantités ingérées ; des doses faibles peuvent en effet être tolérées.

À retenir

La différence entre une intolérance/sensibilité alimentaire et une allergie ? Une sensibilité alimentaire n'implique pas le **système immunitaire**.

Fiche pratique : *étiquetage pour les allergènes alimentaires*

La réglementation européenne sur l'étiquetage des aliments allergéniques a été modifiée en décembre 2014.

Tous les produits allergéniques doivent désormais être clairement identifiés, et cela s'applique tout autant à la grande distribution qu'aux restaurateurs. Voici la liste des 14 allergènes :

- Les œufs
- Le lait
- Le poisson
- Les crustacés (crabe, crevettes, etc.)
- Les mollusques (moules, huîtres, poulpe, etc.)
- Les cacahuètes
- Les fruits à coque (amandes, noisettes, noix, noix du Brésil, noix de cajou, noix de macadamia, noix de pécan, pistaches)
- Les graines de sésame
- Les céréales contenant du gluten (le blé - y compris l'épeautre, le blé khorasan/kamut -, le seigle, l'orge, l'avoine et les céréales résultant de leurs croisements)
- Le soja
- Le céleri (racine et branche)
- La moutarde
- Le lupin
- Le dioxyde de soufre et les sulfites (avec une concentration supérieure à 10 millionièmes)

Fiche pratique : *caractéristiques et symptômes des pathologies liées au gluten et au blé*

	Maladie cœliaque	Allergie au blé	Sensibilité au gluten non liée à la maladie cœliaque
Population concernée (estimation)	1 %	0,3 %	0,63-6 %
Symptômes gastro-intestinaux	Douleurs abdominales Diarrhées Constipation Perte de poids Vomissements	Douleurs et crampes abdominales Diarrhées Nausées Vomissements	Douleurs abdominales Ballonnements Nausées Diarrhées Constipation
Symptômes non gastro-intestinaux	Anémie Maux de tête Fatigue Douleurs articulaires Viscosité mentale Fourmis dans les mains et les jambes Dermatite herpétiforme Ostéoporose Anxiété Évanouissements Infertilité ou absence de règles	Étourdissements Difficultés respiratoires Gonflements Démangeaisons, irritations de la bouche et de la gorge Eczéma Urticaire Asthme Maux de tête Anaphylaxie	Maux de tête Fatigue chronique Viscosité mentale Douleurs articulaires Fourmis dans les mains et les jambes Dépression Eczéma/éruptions cutanées
Causes	Réaction auto-immune au gluten	Réaction allergique immunitaire	Non établies...
Détection	Test sanguin - recherche d'anticorps de gluten Biopsie	IgE ou test cutané Analyse clinique des symptômes	Test d'exclusion et de réintroduction
Traitement	Bannissement à vie de tous les produits alimentaires contenant du gluten	Éviter le blé et les produits dérivés du blé ÉpiPen si nécessaire	En fonction du degré de sensibilité, exclusion complète, partielle ou ponctuelle

Source : Institut national britannique d'études du diabète et des maladies du système digestif et des reins.

La sensibilité au gluten non cœliaque (SGNC)

Les conclusions des travaux de recherche

Voici la question à un million de dollars. Est-il possible d'être sensible au gluten sans souffrir de la maladie cœliaque ou d'une allergie au blé ? Les débats sur le sujet sont légion. Selon les travaux de recherche, cependant, certaines personnes peuvent être sensibles au gluten, avec des symptômes dès l'absorption, ces derniers disparaissant lorsque le gluten est retiré du régime alimentaire. Ces **symptômes** peuvent apparaître immédiatement **dès l'absorption** du gluten **ou avec un décalage** de deux ou trois jours.

La proportion des personnes sensibles au gluten, mais ne souffrant pas la maladie cœliaque, représente 0,63 à 6 % de la population.

On le sait, le système immunitaire n'est pas impliqué dans ces réactions-là. Quelle est donc l'origine de ces symptômes ? Personne n'est aujourd'hui en mesure d'y répondre de façon définitive ; la sensibilité au gluten est **toujours à l'étude**.

- Certaines études en cours vérifient si l'absorption de gluten ne générerait pas tout de même une réponse inflammatoire légère du système immunitaire, différente de la réaction allergique cependant.
- D'autres études doivent être menées pour déterminer le nombre de personnes concernées et les causes possibles.

Honnêtement, tout cela n'est pas clair et, à ce stade, nous ne sommes sûrs de rien !

! Qu'est-ce que l'inflammation ?

C'est un **mécanisme de défense**. Il détruit les « envahisseurs » du corps ou les infections et permet la guérison. L'inflammation augmente la température, provoquant gonflements et rougeurs. L'inflammation est donc nécessaire, mais d'une manière contrôlée, et elle doit se limiter à certains tissus ou organes endommagés.
Certaines maladies sont liées aux inflammations chroniques : représentez-vous un morceau de papier de verre à l'intérieur de votre corps, qui frotte doucement vos cellules et vos organes. Répété trop souvent, ce mécanisme est gourmand en énergie (et en nutriments), pour continuellement réparer les **cellules abîmées**. Le risque existe aussi que les cellules ne soient pas réparées correctement et qu'elles ne fonctionnent plus aussi efficacement par la suite...

Le fonctionnement du système digestif

Notre système digestif est un vrai chef-d'œuvre : un ensemble d'organes travaillent de concert pour absorber les nutriments de notre alimentation.
Le tube alimentaire qui va de la bouche à l'anus fait 9 m de long ; il empêche les agents pathogènes ingérés de passer dans l'organisme, les cellules du système digestif étant fermement soudées les unes aux autres pour empêcher les intrusions. Notre système digestif contient un nombre impressionnant de **cellules immunitaires**, plus de 70 % du système immunitaire ! D'innombrables **bactéries** l'aident aussi à préserver l'intégrité des parois de nos intestins.

Le mythe de l'hyperperméabilité intestinale

! L'hyperperméabilité intestinale – ou *leaky gut syndrome* – se caractérise par des **parois poreuses** qui laissent passer des agents pathogènes et certains aliments dans le système sanguin. Le système immunitaire répond notamment à ces intrusions par des inflammations.
Chez les malades cœliaques, le gluten peut en effet rendre les parois intestinales poreuses, comme le feraient également une gastro ou une consommation excessive d'alcool, de façon réversible bien sûr ! Toutefois, pour la majorité d'entre nous, nos intestins sont tout à fait capables de réguler leurs ouvertures et ils ne deviennent pas si facilement des passoires. Heureusement !

Les tests IgG

Très onéreux, ces tests de sensibilité alimentaire vous dévoilent souvent une longue liste de produits « à éviter ». Déprimant ! De plus, ces tests ne sont plus fondés scientifiquement, reposant sur des travaux surannés. En effet, ils ont été lancés dans les années 1980, à la suite d'observations qui liaient production d'**anticorps IgG** et sécrétion d'**histamine**, un composant chimique lié aux allergies.
Ces résultats n'ont pas été confirmés depuis, ce qui explique pourquoi les institutions internationales renommées ne reconnaissent pas ces tests. Des études récentes parviennent même à des résultats inverses !

- Les **anticorps IgE** sont produits par le système immunitaire lors de réactions allergiques.
- Les **anticorps IgG** témoignent d'une réponse physiologique du système immunitaire après l'absorption de certains aliments, mais pas d'une hypersensibilité à ceux-ci ; ils indiquent en réalité que le corps les tolère.

Tests IgG, tests de cheveux, tests de kinésiologie…
À ce jour, aucun test n'est validé officiellement
pour les sensibilités alimentaires. Alors, ayez le bon réflexe
et économisez votre argent.

L'exclusion de la maladie cœliaque et des allergies au blé

Pour identifier la sensibilité au gluten non cœliaque, il faut d'abord exclure à la fois la maladie cœliaque et les allergies au blé, en procédant par **élimination**. Si :

- l'ingestion de gluten déclenche des symptômes digestifs et non digestifs en quelques heures ou quelques jours ;
- les symptômes disparaissent rapidement quand le gluten est éliminé du régime alimentaire ;
- la maladie cœliaque est écartée à la suite de tests sanguins et d'une biopsie (tests réalisés sans avoir alors exclu le gluten de l'alimentation) ;
- les tests d'allergies au blé utilisant des IgE spécifiques ou des tests cutanés donnent des résultats négatifs,

alors, dans ce cas, vous n'êtes ni malade cœliaque, ni allergique au blé. Il est sûrement question d'une sensibilité au gluten non cœliaque. (Source : *The Journal for Nurse Practitioners*, 2014.)

La bonne détection

Idéalement, il faudrait effectuer un **test à l'aveugle** de consommation de gluten dans un cadre médical. Concrètement, il faut réunir un certain nombre de patients, certains qui reçoivent du gluten, d'autres un placebo (produit qui ressemble à du gluten sans en être). Personne ne sait qui reçoit quoi, ni les patients, ni les opérateurs qui distribuent les portions de test ; tout est complètement fait à l'aveugle. On observe ensuite les symptômes éventuels.

Ce n'est pas facile à réaliser au quotidien. Il est plus simple de réaliser un **test d'exclusion** lors duquel vous arrêtez toute consommation de gluten pour ensuite le réintroduire progressivement en prenant note de vos symptômes. Il faut cependant rester conscient de l'**effet nocebo**.

- L'effet placebo : vous prenez un faux médicament, mais vous vous sentez mieux, simplement parce que vous pensez avoir pris un médicament.
- L'effet nocebo : vous évitez un produit en pensant qu'il vous est nocif, même s'il est complètement sans risque pour vous.

Quand on s'autodiagnostique (gluten ou autres sensibilités), l'effet nocebo est difficile à éviter. Gardez cela en tête pour suivre l'évolution des symptômes.

Profitez de notre **tableau d'observation**, expliqué plus en détail dans la suite du chapitre, pour détecter vos éventuelles sensibilités.

En effet, avec le gluten, il peut être question de qualité et de quantité. Peut-être tolérez-vous de petites doses de gluten dans les pains :

- de seigle,
- au levain,
- d'épeautre,
- de triticale.

Ils contiennent en effet moins de gluten (voir l'échelle du gluten dans le chap. 1).

Le syndrome du côlon irritable

Symptômes et causes

La sensibilité au gluten et le syndrome du côlon irritable semblent être liés. Cette pathologie courante se manifeste par :

- des crampes,
- des douleurs abdominales,
- de la constipation ou de la diarrhée.

Ce sont somme toute des symptômes très semblables à ceux de l'intolérance au gluten. Les causes de ce syndrome ne sont pas clairement définies. Il pourrait être dû à une inflammation légère du côlon, elle-même liée à une modification de l'équilibre bactérien des intestins.

! Selon des études statistiques, les femmes sont deux fois plus sujettes à ce syndrome que les hommes. 10 % de la population adulte sera concernée au moins une fois dans sa vie.

Les symptômes peuvent être **irréguliers**, avec des apparitions et des disparitions soudaines. Le syndrome du côlon irritable n'augmente pas les risques de contracter d'autres maladies (à l'inverse de la maladie cœliaque non traitée et des maladies inflammatoires des intestins telles que la maladie de Crohn et la colite ulcéreuse). Les symptômes affectent cependant fortement la qualité de vie des personnes concernées.

Le régime FODMAP

Créé par le Dr Sue Shepherd, ce régime aide à mieux gérer le syndrome du côlon irritable. Il implique l'exclusion de 5 groupes de glucides qui, du fait d'une **digestion incomplète**, peuvent entraîner une fermentation et augmenter la pression dans le côlon, d'où les symptômes digestifs mentionnés ci-dessus.

FODMAP =
Fermentable Oligo-,
Di-, Mono-saccharides
And Polyols

À votre avis, quels sont les aliments particulièrement riches en FODMAP ? Ceux qui sont souvent source de ballonnements :

- le lait,
- les haricots,
- les lentilles,
- et la famille des choux.

Ce régime écarte les aliments riches en FODMAP pendant une **durée limitée**, typiquement 6 à 8 semaines, pour ensuite les réintroduire progressivement et déterminer les intolérances particulières. Encore une fois, tout est souvent question de dosage. On peut se faire aider par certains nutritionnistes spécialisés. C'est rudement efficace. 75 % des personnes suivant ce régime voient les symptômes du côlon irritable disparaître.

Fiche pratique : *liste des aliments riches en FODMAP, détaillés par type*

Fructose	Pomme Poire Pastèque Mangue Jus de fruits	Fruits secs Fructose Sirop d'agave Miel
Lactose	Lait Glace Yaourt	Ricotta St Môret®
Fructane	Oignons (tous) Ail Asperge Artichaut Choux (tous) Brocoli Fenouil Petits pois	Betterave Poireau Féculents Blé Seigle Gâteaux/pâtes Pistaches Cajous
Galactans	Légumes secs	(Lentilles/pois chiches/haricots)
Polyols	Pomme Poire Abricot Griotte Pêche Nectarine Prune Mûre Avocat	Chou-fleur Champignons Maïs Sorbitol mannitol (tous avec -ol)

Fiche pratique : *tableau d'observation*

Ce tableau d'observation doit vous aider à identifier vos éventuelles allergies et sensibilités. Le principe est de noter tout ce que vous mangez pendant au moins deux semaines et de repérer les éventuels symptômes qui pourraient être liés aux aliments ingérés. L'objectif est d'éliminer progressivement les aliments concernés.

Voici la marche à suivre :

- Pour chaque aliment, prenez note des horaires et des quantités absorbées.
- Classez les symptômes par ordre de sévérité.
- Complétez ce tableau pendant au moins deux semaines pour qu'il soit efficace.
- Identifiez ainsi les différents types d'aliments et les liens avec des symptômes particuliers.
- Faites ensuite un test d'exclusion pendant trois ou quatre jours pour certains aliments bien identifiés.
- Suivez vos symptômes : mieux, pire ou pas de différence.
- Procédez ainsi pour tous les aliments à tester.

> ! Attention toutefois ! Si les symptômes se manifestent par de l'urticaire, des vomissements, une gorge enflée, une respiration difficile, il est dangereux de poursuivre seul cette observation. Consultez votre médecin traitant, qui vous dirigera vers un allergologue.

Exemple de tableau d'observation à compléter

Heure	Repas	Description	Symptômes digestifs *(ballonnements, maux de ventre, diarrhée, constipation, vomissements, nausées...)*	Symptômes non digestifs *(fatigue, eczéma, douleurs articulaires, viscosité mentale...)*	Sévérité entre 1 et 10 *(10 = très sévère)*
8 h 00	Petit déjeuner	2 tranches de pain complet 1 c. à c. de beurre 1 c. à c. de confiture de fraises 1 grande tasse de café crème	Ballonnements Maux de ventre (10 h 00)	Fatigue et maux de tête	Digestif = 7 Fatigue = 4 Maux de tête = 5

Heure	Repas	Description

Symptômes digestifs *(ballonnements, maux de ventre, diarrhée, constipation, vomissements, nausées...)*	Symptômes non digestifs *(fatigue, eczéma, douleurs articulaires, viscosité mentale...)*	Sévérité entre 1 et 10 *(10 = très sévère)*

Heure	Repas	Description

Symptômes digestifs *(ballonnements, maux de ventre, diarrhée, constipation, vomissements, nausées…)*	Symptômes non digestifs *(fatigue, eczéma, douleurs articulaires, viscosité mentale…)*	Sévérité entre 1 et 10 *(10 = très sévère)*

Un diagnostic parfois difficile

La maladie cœliaque et les allergies au blé doivent être prises très au sérieux. Les personnes qui en souffrent doivent complètement exclure de leur alimentation **le blé et ses produits dérivés**. Les sensibilités au gluten ou à d'autres allergènes sont quant à elles plus difficiles à détecter. Elles se rattachent en effet à des symptômes allant :

- du simple inconfort à → des douleurs abdominales aiguës,
  → des migraines,
  → de fortes fatigues.

Ces symptômes peuvent apparaître plus ou moins rapidement, d'où une **identification complexe**.

Faut-il prendre au sérieux la sensibilité au gluten ?

Absolument ! Il est primordial de se réveiller en pleine forme le matin, prêt à dévorer la journée. Si la sensibilité au gluten n'est pas un facteur de problèmes de santé à long terme, elle a un fort impact sur la qualité de vie, de même que le syndrome du côlon irritable. Se réveiller le matin en ayant l'impression de n'avoir pas dormi n'est ni souhaitable ni tenable à long terme.

Il est impératif cependant de bien cerner les aliments à l'origine de nos sensibilités pour réduire uniquement leur consommation. Si ce point n'a pas été effectué correctement, on risque de se restreindre à tort sur de trop nombreux produits et craindre alors des carences alimentaires sur le long terme.

Peut-on être sensible à plusieurs aliments ?

Oui, c'est possible, mais, encore une fois, prenez le temps d'identifier le **plus précisément possible** vos sensibilités. Utilisez pour cela le tableau d'observation et le principe d'exclusion, sans quoi votre alimentation pourrait se réduire à cinq ou six types d'aliments. Certains d'entre vous me diront que cette restriction drastique leur réussit parfaitement. Imaginez-vous toutefois passer le reste de votre existence à éviter les produits laitiers, les céréales, le soja, les œufs, le maïs, le porc, le bœuf, le poulet, les haricots, les lentilles, le café, les citrons, les fruits à coque, la famille des solanacées, les graisses, l'alcool, les sucres ajoutés et la famille des choux, en plus du gluten ?

Comment réintégrer le gluten ?

Adoptez pour cela une approche équilibrée et pondérée. Vous pouvez réintroduire le gluten **en petites quantités**, deux ou trois fois par semaine, et suivre l'évolution des symptômes. Surtout, évitez les excès. Vous empiffrer de pain, de gâteaux et de pâtes serait dévastateur pour votre système digestif. Il pourrait se mettre en grève (avec les mêmes effets désastreux que dans les transports en commun).
Tout d'abord, réintroduisez les aliments « à problème » **pendant le week-end**, lorsque vous êtes chez vous, pour gérer les symptômes plus facilement s'ils réapparaissent. Si vous ne pouvez même pas tolérer de petites quantités, ou des formes différentes, il faut vous résoudre à **éliminer l'aliment incriminé** pour l'instant, même si vous pouvez réessayer plus tard. Donnez-vous du temps.

En revanche, si vous en tolérez un petit peu, montez progressivement en quantité pour déterminer votre seuil acceptable. Choisissez bien votre moment pour réintroduire du gluten ; juste après une gastro, ce n'est sans doute pas une bonne idée ! Il est plus judicieux de le réintroduire lorsque vous êtes en forme.

Focalisez-vous sur le plaisir de manger

Sur le long terme, un régime alimentaire sain devrait toujours chercher à **inclure** plutôt qu'à exclure. C'est avant tout un **régime varié**, riche en couleurs et en goûts, qui vous gardera en forme, grâce à l'apport de nombreux nutriments. À l'inverse, un régime pauvre et limité risque de générer des carences en nutriments et d'accroître les risques de tomber malade, tout autant que les symptômes de sensibilité alimentaire. Nous sommes parfois trop brutaux dans nos restrictions alimentaires en nous privant de produits riches en nutriments, sans trouver de remplacements.

! Attention à l'extrémisme alimentaire !

Pour rappel, les aliments industriels sans gluten ne constituent pas la meilleure option !

Entre plaisir et douleur, l'importance de l'équilibre

- N'oubliez jamais le **plaisir** procuré par un bon repas, même si certains aliments génèrent pour vous des symptômes tels que vous voulez les placer dans une poupée vaudou et les éliminer à coup d'aiguilles...
- Restez **pondéré** lorsque vous éliminez certains produits et gardez le sens des choses, même si ce n'est pas facile.
- Si vous être certain que votre sensibilité au gluten n'a **aucun lien** avec la maladie cœliaque, avant d'acheter la moitié de la boulangerie, il ne tient qu'à vous de mettre dans la balance :

  plaisir attendu de la dégustation ↔ douleurs prévisibles des symptômes.

! **Par exemple :**

Plaisir attendu d'une baguette de campagne tout juste achetée
à la boulangerie sur une échelle de 1 à 10 : **+10**
Niveau de douleurs et de ballonnements prévisibles
sur la même échelle : **léger, donc -2**
Total **+8**
Vous pouvez donc vous lâcher de temps en temps sur une baguette sans vous sentir coupable, et vous évitez en plus l'effet nocebo (-100).

La gestion du stress

Le stress affecte votre digestion ? Rappelez-vous que, contrairement aux idées reçues, la digestion n'est pas une fonction essentielle pour notre corps en situation de stress. En effet, notre organisme ne fait pas de distinction entre le **stress physique** - comme le besoin de courir pour échapper à un prédateur - et le **stress mental** - que nous rencontrons parfois dans le cadre professionnel ou familial, surtout si nous avons des enfants ou des adolescents à la maison. Le corps est tellement occupé à recharger les muscles que la digestion est complètement reléguée au second plan.

La seule solution ?
Se déconnecter, respirer profondément, se relaxer
et se préparer des plats « bons et zen » !

Les astuces pro pour une digestion « de fer »

1) Manger l-e-n-t-e-m-e-n-t. Plus vous macherez, plus votre système digestif fonctionnera avec facilité.
2) Faites une petit promenade après le repas, si c'est possible. Cela aide à faire circuler les aliments plus rapidement dans notre système digestif, ainsi qu'à brûler un peu plus de calories en nous aidant à mieux gérer le stress !
3) Boire suffisamment : l'eau est un facilitateur de transport pour les aliments et permet une « évacuation » sans histoire.

Haut les cœurs ma petite paupiette ! Tu vas voir, je vais te faire aimer les haricots et le quinoa ! Je t'ai dégoté des recettes dont tu me diras des nouvelles !

3. *MANGER SAINEMENT ET SANS GLUTEN*

*Rassurez-vous, c'est tout à fait possible.
Voici pour vous les règles d'or à mettre en place
en termes de planning et d'organisation.*

Sans gluten et sans stress

Un régime alimentaire sans gluten peut-il rimer avec **santé**, **équilibre** et **saveurs** ? Absolument, et même sans vous ruiner. Restez zen, rangez votre portefeuille et respirez profondément. Vous pouvez tout à fait vous passer des produits industriels sans gluten, très onéreux quant à eux. En effet, des aliments **naturellement sans gluten** existent à un coût raisonnable. Inutile également d'analyser les étiquettes alimentaires avec excès de zèle ou de passer votre soirée devant les fourneaux. Le chapitre 4 aussi fourmille d'astuces pour consommer malin et sans gluten.

Petit rappel : si vous souffrez de la maladie cœliaque ou d'une allergie au blé, vous devez éviter respectivement le gluten et le blé, tandis que si vous êtes sensible au gluten, vous avez un peu plus de flexibilité et pourrez peut-être tolérer de petites quantités de gluten.

Et si, comme la majorité de la population, vous n'êtes :

- ni allergique au blé,
- ni sensible au gluten,
- ni atteint par la maladie cœliaque,

éviter le gluten vous permet-il d'être en meilleure santé ? Eh bien, aucune étude scientifique n'indique que des personnes non sensibles au gluten et suivant une alimentation sans gluten en retirent des avantages pour la santé...
Les aliments industriels sans gluten bénéficient à tort d'une réputation de produits « bons pour la santé ». C'est infondé, et nous allons vous l'expliquer dans la suite du chapitre. À l'inverse, même si vous tolérez le gluten, un régime qui repose essentiellement sur des produits transformés à base de blé n'est pas non plus la bonne solution. Comme toujours, préférez l'équilibre, la modération et les « vrais » aliments, non transformés. Avant tout, recherchez ce que vous pouvez inclure dans votre alimentation plutôt que ce que vous devez éviter. Si un produit en particulier doit être retiré de votre alimentation, trouvez-lui un remplaçant. Une « liste noire » alimentaire, ce n'est pas très positif. Constituez-vous plutôt une « liste verte », véritable auxiliaire pour vous concocter des menus équilibrés, à garder toujours sous la main. Cette approche devrait être suivie pour tous les régimes !

Petit guide pour bien se repérer

	Maladie cœliaque	Allergie au blé	Sensibilité au gluten
Doit éviter	Le blé (pâtes, couscous, pain, quenelles, gâteaux, biscottes, pizzas, etc.) Le seigle L'orge L'avoine*	Le blé	Le blé Le seigle L'orge
Peut manger	Les céréales et les graines sans gluten : le teff le sorgho le millet le riz le maïs le quinoa le sarrasin le fonio	Le seigle L'orge L'avoine Les céréales sans gluten : le teff le sorgho le millet le riz le maïs le quinoa le sarrasin le fonio	L'avoine Les céréales sans gluten : le teff le sorgho le millet le riz le maïs le quinoa le sarrasin le fonio
Peut tolérer		L'épeautre (à vérifier avec votre médecin traitant)	Le blé, le seigle et l'orge en petites quantités Tolérance possible pour : le pain à l'épeautre le pain germé le pain au levain le pain au seigle les pâtes a l'épeautre

*L'avoine ne doit pas avoir été contaminée par le gluten et doit avoir un contenu en gluten inférieur à 20 ppm.

Fiche pratique : *« sans gluten » et autres labels*

Tous les pays suivent la définition officielle établie en 2008 par le Codex Alimentarius, une organisation internationale travaillant sur les codes alimentaires. Entrée officiellement en vigueur en 2012, cette définition a renforcé le cadre réglementaire autour du « sans gluten ».

Sans gluten

*« Les produits qui ne contiennent pas de blé, orge, seigle, avoine et ceux issus de ces 4 céréales qui ont été traités pour retirer le gluten permettent d'indiquer la mention "sans gluten" lorsqu'ils possèdent une teneur en gluten **inférieure à 20 ppm**. »*

Que signifie 20 ppm ? 20 parties par million ou, plus clairement, 20 mg par kg. C'est le maximum de ce qu'une personne souffrant de la maladie cœliaque peut ingérer sans endommager ses intestins, donc la quantité maximale de gluten pouvant être contenue sous le label « sans gluten ». Il est en effet quasi impossible d'éviter le gluten à 100 % ; même les grains naturellement sans gluten comme le riz en contiennent de minuscules quantités.

Le logo « épi de blé barré dans un cercle » représenté ci-dessous, déposé officiellement et utilisé dans l'Union européenne, ainsi qu'en Suisse, Norvège, Monténégro, Serbie et Bosnie-Herzégovine, garantit que le produit sur lequel il figure ne contient pas de gluten. De plus il indique aussi qu'un contrôle strict a été appliqué pendant sa fabrication pour éviter toute contamination au gluten des machines et des ingrédients utilisés.

Pourquoi alors la viande fraîche ne porte-t-elle pas ce logo ? Il est utilisé uniquement pour les produits qui contiennent plusieurs ingrédients ou qui ont subi une transformation industrielle, par exemple :

- les céréales pour le petit déjeuner,
- les pains,
- les farines.

Il n'est pas utilisé pour :

- la viande,
- le poisson,
- les fruits et légumes,
- les autres produits de base naturellement sans gluten.

Produit pauvre en gluten

*« Les produits qui ne contiennent pas de blé, orge, seigle, avoine et ceux issus de ces 4 céréales qui ont été traités pour retirer le gluten permettent à ces produits d'indiquer la mention "pauvre en gluten" si ces derniers possèdent une teneur en gluten comprise entre **20 et 100 ppm**. »*

Cette catégorie de produits ne se trouve pas facilement en Europe.

Le label « peut contenir du gluten/blé »

Cela signifie que même si le produit ne contient ni blé ni gluten, le fabricant ne peut pas en garantir la non-contamination. Il peut avoir été fabriqué dans une usine qui traite également des produits à base de blé.

Sources de gluten non alimentaires

On peut aussi trouver du gluten dans des produits non alimentaires, cosmétiques par exemple, et même des jouets pour enfants. Ces produits ne présentent en général pas de risque sauf en cas d'ingestion, comme les pâtes à modeler pour enfants contenant du gluten.

Les produits industriels sans gluten : leurs consommateurs, leur fabrication

Qui achète ces produits sans gluten ?

Pour les personnes qui souffrent de la maladie cœliaque, cet afflux de produits labellisés « sans gluten » dans les rayons des supermarchés, en particulier des **produits de qualité** plus riches en fibres, vitamines et minéraux comme le pain sans gluten complet ou les pâtes de pois chiche, offre une vraie amélioration de leur quotidien, après de longues années passées à identifier quels produits elles pouvaient manger sans risque. Mais qu'en est-il pour tous les autres ?

Voici des statistiques intéressantes issues d'une étude de marché Mintel menée en 2014 :

- 82 % des personnes achetant des produits sans gluten n'ont pas été formellement diagnostiquées avec des problèmes de santé liés au gluten ;
- 45 % des personnes achetant des produits sans gluten ne souffrent ni de la maladie cœliaque, ni de sensibilité au gluten, ni d'allergie au blé ;
- 38 % des personnes qui achètent ou ont acheté des produits sans gluten pensent qu'ils les maintiennent en meilleure santé ;
- 25 % des personnes qui achètent ou ont acheté des produits sans gluten pensent que cela les aide à perdre du poids.

Leur fabrication

! Exemple d'étiquette pour un produit « pâtisserie » sans gluten : farine de riz, sucre, huiles végétales, amidon de pomme de terre, farine de maïs, amidon de riz, poudre à lever, gomme xanthane.

Petit rappel sur le gluten : c'est une protéine aux **propriétés élastiques et liantes** que l'on trouve dans certaines céréales et qui est donc particulièrement utile pour donner de la consistance et de la tenue aux produits de boulangerie.

Il est difficile de trouver des propriétés équivalentes aux farines sans gluten, ce qui explique pourquoi il est souvent nécessaire de mélanger **différents types de farines ou de féculents** et d'ajouter une substance qui reproduit les propriétés liantes du gluten pour que les produits préparés sans gluten ne s'effritent pas. On utilise généralement pour cela de la **gomme xanthane** fabriquée à partir de maïs fermenté. Il est parfois nécessaire d'ajouter des **émulsifiants** pour stabiliser la préparation et éviter son effritement.

Les farines et les féculents les plus utilisés pour la préparation des produits de boulangerie sans gluten sont :

- la farine de riz,
- l'amidon de tapioca,
- l'amidon de maïs,
- l'amidon de pomme de terre.

Les féculents sont préparés à base de céréales et de légumes à racines comestibles. Une étiquette alimentaire pour un produit sans gluten sera donc toujours plus longue que celle d'un produit contenant du gluten du fait de ces multiples farines, féculents, gommes et émulsifiants.

Une production complexe

Leur complexité de production explique également leur prix, **242 % plus cher** en moyenne que leurs équivalents sans gluten, d'après une étude de marché australienne ! Le risque de contamination implique aussi des procédures spécifiques de **nettoyage** et de **contrôle des équipements** de fabrication. Les matières premières sont également plus onéreuses du fait des variétés de farines, gommes et émulsifiants nécessaires pour chaque produit. Les tarifs élevés sont également encouragés par le nombre limité de producteurs face à une demande très forte. Nous en revenons toujours à des circonstances idéales pour les producteurs de produits sans gluten.

Les idées fausses sur le « sans gluten »

« Les produits sans gluten sont meilleurs pour la santé »

Cette assertion, non fondée scientifiquement, est la conséquence de l'**impact du marketing** sur les mentalités. Bien sûr, si vous souffrez de la maladie cœliaque ou d'une sérieuse allergie au blé, les produits sans gluten sont même essentiels pour votre santé, vous évitant de dangereuses réactions allergiques.
Mais, soyons clairs, les gâteaux et les biscuits sans gluten contiennent exactement la même quantité de sucres ajoutés ou de graisses que leurs équivalents avec gluten.
« Sans gluten » ne signifie pas pauvre en sucre. Les produits sans gluten sont aussi fabriqués à partir de farines et de féculents très raffinés et, rappelez-vous le chapitre 1, le raffinage d'une céréale ou d'un légume en retire :

- les vitamines B,
- le zinc,
- le fer,
- les fibres.

De plus, les produits sans gluten ne sont en général **pas enrichis**, alors que certains produits simples avec gluten (comme les farines), destinés à une population plus large, le sont. En effet, les **nutriments** retirés lors du processus de fabrication sont ajoutés ; on peut aussi adjoindre d'autres nutriments essentiels à la santé publique, comme le calcium et le fer.

Un régime alimentaire sain implique une consommation limitée de desserts, gâteaux et biscuits, qu'ils contiennent ou non du gluten. Peu de nutriments mais beaucoup de calories au final ! Une approche modérée signifie 2 ou 3 fois par semaine, mais certainement pas tous les jours !

Voici les conclusions d'une étude récente menée en Australie sur 10 catégories d'aliments « sans gluten » manufacturés :

- Il est peu probable que la consommation de produits sans gluten ait un impact positif sur la santé (sauf maladie cœliaque et allergies).
- Les produits sans gluten ne contiennent pas forcément moins de nutriments que leurs équivalents avec gluten.
- Les produits alimentaires industriels, avec ou sans gluten, comportent en général des niveaux élevés de sucres, de graisses et de sel, et moins de fibres, de vitamines et de minéraux.
- Les farines et les féculents sans gluten sont par nature un peu plus pauvres en protéines et plus riches en glucides, étant donné que le gluten est déjà... une protéine.

Fiche pratique : *le riz dans les régimes sans gluten*

Je me permets d'attirer votre attention sur le riz et, avec lui, sur une substance bien connue, dans le passé, des familles royales en France et en Italie : l'**arsenic**. L'arsenic est une substance très toxique qui peut, à haute dose, entraîner certains cancers. La pollution, l'utilisation des pesticides et les déchets industriels font grimper les niveaux d'arsenic dans notre environnement. Celui-ci se dissout très facilement dans l'eau et, comme le riz pousse dans des rizières, il absorbe davantage d'arsenic que d'autres céréales. L'arsenic se concentrant surtout dans le **germe du riz**, le riz blanc raffiné auquel on aura retiré le germe contiendra donc moins d'arsenic que le riz brun. Le fait que le riz soit cultivé sous un mode biologique ne change rien à la proportion d'arsenic vu que celui-ci provient de l'eau.

Dans le cadre d'un régime alimentaire sans gluten reposant essentiellement sur des produits à base de riz, cette information n'est pas à négliger. Le problème lié à l'arsenic est vraiment à considérer de façon cumulative si l'on mange quotidiennement du riz sous forme de lait, de gâteaux et de galettes.

Comment dès lors réduire la proportion d'arsenic contenue naturellement dans le riz ?

- Choisissez du **riz blanc** plutôt que du riz brun. Si, si, même si, globalement, les céréales complètes sont meilleures pour la santé, on doit faire une exception pour le riz. Le riz **basmati** semble contenir nettement moins d'arsenic.
- Lavez le riz soigneusement.
- Cuisinez le riz dans de grands volumes d'eau et rincez encore une fois le riz.

Mais varier son alimentation et ses céréales est encore une fois la meilleure approche pour éviter que tel ou tel aliment ne nous rende malade.

La règle d'or pour une alimentation saine sans gluten ?
Évitez le riz complet, prenez plutôt du riz basmati blanc
et alternez les différentes céréales sans gluten.

« Les produits sans gluten sont efficaces pour la perte de poids »

Vous pensez cela ? Eh bien en fait non. Vous allez me dire que vous avez suivi un régime sans gluten et que vous avez perdu du poids ? Sans doute avez-vous adopté les changements suivants, et c'est tant mieux :

Gâteaux, biscuits → fruits, légumes,

mais cela ne tient en aucun cas à un phénomène magique déclenché par le « sans gluten ».

Sans gluten ne signifie pas sans calories !

Les aliments sans gluten ne comportent pas moins de calories et, rappelons-le, contiennent une quantité équivalente **de sucres et de graisses** que ceux avec gluten. Par ailleurs, les produits sans gluten sont souvent plus **compacts** et ne possèdent pas la structure plus aérée de leurs équivalents avec gluten ; à poids similaire, les produits sans gluten peuvent donc contenir légèrement plus de calories. Par exemple, une grande tranche de pain (30 g) avec gluten contient environ 70 calories, alors que 30 g de pain sans gluten contiennent 90 calories, soit 20 calories de plus. Ce n'est pas énorme, mais, au bout du compte, cela peut faire beaucoup.

Toutes les céréales contiennent à peu près la même quantité de calories pour 100 g que le blé, soit environ 365 calories pour 100 g.

! Attention à l'« effet halo » pour la santé. Des études ont prouvé qu'un label « santé » parfois un peu abusif incite à consommer davantage du produit concerné.

« Le blé est addictif »

Des recherches menées dans les années 2000 ont suggéré que la **digestion des gliadines**, un des composants du gluten, génère la sécrétion de substances addictives comme la **gliadorphine**, semblable à la morphine.
Des études plus récentes ont invalidé cette théorie en montrant qu'il n'y avait aucun lien entre les gliadines et la stimulation d'éventuelles addictions. Toutefois, les produits alimentaires transformés industriellement contiennent généralement peu de fibres et ont un niveau de sucre très élevé, d'où de possibles variations brutales du niveau de sucre dans le sang. Mais cela n'est aucunement dû au blé.

« Les produits sans gluten sont riches en fibres »

Rappelons-le, pour être efficace, un régime doit avant tout nourrir à satiété : il est nécessaire d'être repu après chaque repas. Des études montrent que l'on assimile en général le même « volume » de nourriture chaque jour et que ceux qui parviennent à réduire la densité de ce « volume » - en remplissant l'estomac avec des aliments moins riches en calories - perdent du poids. En effet, les aliments à faible volume mais à forte densité sont plus riches en calories et ne comblent pas toujours notre faim.
Une alimentation riche en fibres permet de garder ce sentiment de satiété plus longtemps. Or, certains produits sans gluten contiennent **peu de fibres**, car ils sont fabriqués à partir de céréales et de féculents transformés. Les fibres jouent pourtant un rôle essentiel dans notre alimentation :

- contrôle de la vitesse de digestion,
- réduction de l'indice glycémique,
- maintien du sentiment de satiété,
- bonne gestion du poids.

Adopter un régime sans gluten à base de produits non transformés permet souvent aux personnes souffrant de la maladie cœliaque de réparer l'intestin, de reprendre du poids et de retrouver les nutriments essentiels dont elles avaient manqué du fait des dommages causés par le gluten à leur organisme.

« Les aliments sans gluten ont meilleur goût »

Tout dépend des talents du cuisinier ou du pâtissier. Les pâtisseries sans gluten ont tendance à s'effriter du fait d'une structure très sableuse, alors que les autres produits de boulangerie auront à l'inverse des textures plus denses et plus dures. Si le boulanger n'est pas habitué au « sans gluten », le pain peut devenir dur comme de la brique ! Les préparations sans gluten nécessitent de mélanger différents types de farines et d'émulsifiants, et de mettre au point la bonne proportion de liquides pour obtenir des pâtes légères et aérées semblables à celles contenant du gluten.
Certaines farines sans gluten ont des goûts très prononcés, telle la farine de sarrasin. On ajoute alors souvent beaucoup de sucres et de graisses pour le masquer. Une bonne nouvelle toutefois pour les malades cœliaques : la qualité et le goût des aliments sans gluten ont beaucoup progressé ces dernières années, et ce n'est pas fini.

Fiche pratique : *quels produits éviter dans un régime sans gluten ?*

- Le pain et les produits de boulangerie
- Les biscuits et les gâteaux
- Les pizzas et les pâtes

Si un produit contient du blé ou du gluten, il sera indiqué dans la liste des ingrédients.

Produits contenant naturellement du gluten	Produits transformés pouvant contenir du blé (vérifier la liste des ingrédients)	Ingrédients utilisés dans les produits transformés faits à partir de céréales contenant du gluten mais dont le gluten a été retiré, ils sont donc consommables
Blé Dérivés du blé - épeautre, triticale, kamut, khorasan Seigle Orge Avoine (contamination possible) Seitan (fait à base de gluten) Extraits de malt Bière	Viandes transformées, sauces, plats et desserts préparés Arômes artificiels, arômes naturels Caramel liquide Dextrine Amidon alimentaire, amidon gélatinisé, amidon modifié, amidon alimentaire modifié, amidon végétal Sirop de glucose Protéines végétales hydrolysées (PVH) Maltodextrine Glutamate monosodique (MSG) Sauces soja, shoyu, tamari, teriyaki Surimi Protéine végétale texturée Gomme végétale	Sirops de glucose dérivés du blé ou de l'orge, y compris le dextrose Maltodextrines à base de blé Ingrédients distillés fabriqués à partir de céréales contenant du gluten comme les spiritueux, les vinaigres ou les moutardes

Les aliments autorisés dans le cadre d'un régime sans gluten

Que puis-je alors manger ? Tout le reste !

Voilà la bonne nouvelle ! Le gluten comme le blé, le seigle ou l'orge vous sont peut-être interdits, mais il reste une grande variété d'aliments à votre disposition. Pour appliquer ce que j'ai recommandé plus haut, restons positifs et regardons ce qui vous est permis grâce à la **table d'inclusion** ci-dessous.

Vous aimez votre café ou votre verre de vin, pas de problème, ils sont 100 % sans gluten !

Table d'inclusion des aliments naturellement « sans gluten »

Céréales et féculents sans gluten	Sources de protéines	Fruits et légumes	Produits laitiers	Graisses
Riz	Viandes	Tous les légumes	Lait	Toutes les huiles végétales
Maïs	Poissons	Tous les fruits	Fromages	
Avoine*	Volailles		Yaourts	
Sorgho	Haricots		Beurre	
Fonio	Lentilles			
Teff	Oléagineux			
Millet	Œufs			
Tapioca				
Quinoa				
Sarrasin				
Pommes de terre				

* Attention, un risque de contamination existe avec l'avoine.

Les courses « sans gluten »

Acheter des produits sans gluten ne doit pas vous donner des sueurs froides non plus. Suivez la table d'inclusion et repérez où ces produits se trouvent dans votre magasin habituel. La plupart des aliments indiqués, viande, poisson, fruits, légumes, sont souvent regroupés. Ne vous perdez pas dans des rayons inutiles.

Tous les aliments contenant du gluten ou d'autres allergènes ont l'information clairement indiquée sur leur **étiquette**. Il faut cependant vous méfier :

- des sauces,
- des condiments,
- des viandes transformées.

Vérifiez donc bien les étiquettes si vous n'êtes pas déjà familiarisé avec ces produits.

Il n'est pas inutile non plus de faire une petite piqûre de rappel sur les bonnes pratiques en la matière, que l'on soit ou non sensible au gluten. Prenez exemple sur votre grand-mère : elle revenait des courses avec un panier rempli de produits naturels et non transformés. C'est ce qu'il faut viser. Et, nous le répétons encore, gâteaux, biscuits et bonbons, avec ou sans gluten, se limitent à une ou deux fois par semaine. De plus, privilégions les gâteaux maison :

- ils ont toujours meilleur goût, le parfum d'enfance en plus ;
- seuls les ingrédients nécessaires intègrent la recette ;
- nous avons la satisfaction du fait maison, et en plus, on peut lécher le bol !

Dans un régime sans gluten,
les aliments naturellement sans gluten doivent prendre
le dessus sur les produits sans gluten transformés.

La catégorie des céréales et des féculents

Là où les courses se compliquent, c'est pour les céréales et les féculents. Acheter des pommes de terre ou du riz dans votre supérette locale ne pose pas de problème, mais il est plus difficile de trouver :

- du quinoa,
- du sarrasin,
- du sorgho,
- ou du millet.

Il faut alors se diriger vers des magasins bio ou spécialisés avec de grandes variétés de céréales. Ces céréales aux noms bizarres vous inquiètent ? Ne vous laissez pas intimider : très simples à cuisiner, elles peuvent être utilisées dans de nombreux plats. Reportez-vous aux chapitres 4 et 5 pour des idées et des recettes pratiques.

Vous avez la nostalgie des pizzas, des pâtes et du pain grillé ? Et si vous investissiez dans une machine à pain ? Il vous sera ainsi très facile de préparer votre propre pâte à pain et à pizza sans gluten, ce qui, sur le long terme, vous reviendra beaucoup moins cher que d'acheter ces produits tout faits. Les pâtes sont le produit sans gluten le plus difficile à réaliser, mais si vous êtes très doué, vous pouvez tenter de les fabriquer vous-même avec une machine à pâtes. Les pâtes du commerce sont en général fabriquées à partir de farine de maïs et de riz raffiné. Les pâtes au sarrasin sont plus riches en fibres et en autres nutriments que celles fabriquées à partir de farine de riz et/ou de maïs ; elles sont disponibles dans de nombreuses boutiques bio. Jetez aussi un œil au chapitre 5 pour nos recettes de pizza à la polenta et de pains supra-faciles !

Les céréales sans gluten à essayer !

Nom	Informations	Informations nutritionnelles pour 100 g de poids cru	Comment cuire la céréale entière
Quinoa	À l'origine une céréale d'Amérique du Sud aujourd'hui disponible largement en grains entiers, en flocons ou en farine.	Fibres : 7 g Protéines : 14 g Excellente source de folate : 183 mcg	Rincer et cuire pendant 10 mn jusqu'à ce que les grains s'ouvrent.
Sarrasin	Une des rares céréales sans gluten cultivées en Europe. Vendue en gruaux ou rôtie sous le nom de « kasha ». Aussi disponible en farine.	Fibres : 10 g Protéines : 13 g Excellente source de magnésium : 231 mg Niacine : 7 mg	Pas de rinçage. Cuire à l'eau bouillante pendant 10 mn maximum.
Millet	Cultivé essentiellement en Asie et en Afrique. Disponible en grains, en flocons ou en farine.	Fibres : 8 g Protéines : 11 g Excellente source de folate : 81 mcg Magnésium : 114 mg	Cuire à l'eau bouillante pendant 20-30 mn.
Fonio	En train de remplacer le quinoa dans son rôle de super-céréale. Elle pousse en Afrique de l'Ouest. Très nourrissante, c'est l'aliment de base dans certaines régions d'Afrique.	Fibres : 6 g Protéines : 8 g (mais une source de protéines importante) Excellente source de calcium : 180 mg Fer : 8,48 mg Magnésium : 460 mg	Comme le riz. Rincer et cuire dans trois fois son volume d'eau bouillante pendant 10-15 mn jusqu'à ce que les grains deviennent mous.

Les nutriments à surveiller dans un régime sans gluten

Un point d'attention spécifique sera porté pour prévenir les risques de carences en :

- fibres,
- vitamines B et particulièrement en folate,
- vitamine B3 ou niacines,
- vitamine B12.

Les carences en fibres proviennent essentiellement de l'excès de produits transformés à base de farines et de féculents raffinés, et de la faible consommation générale de glucides. Le manque de niacine, folate et vitamine B12 peut s'expliquer d'une part par les effets à long terme des dommages causés par la maladie cœliaque aux intestins et, d'autre part, par la faible présence de ces vitamines dans les aliments industriels sans gluten.

Fait intéressant !

Le teff est une variété de millet qui est par exemple utilisé pour préparer l'*injera*, une sorte de crêpe typique de la corne de l'Afrique. C'est une plante résistante qui peut pousser en climat sec ou humide quasiment partout, ce qui en fait un « super aliment » !

Fiche pratique : *les nutriments essentiels*

Autour des fibres

(À ne pas lire juste avant de manger !)

Les fibres sont tous les composants des plantes que nous ne pouvons pas digérer. Malgré tout, elles sont très importantes pour notre santé :

- elles régulent le transit intestinal ;
- elles « nettoient » les intestins en récupérant au passage les **résidus bloqués et non digérés** comme certaines hormones et du cholestérol que l'on peut ainsi excréter ;
- elles subissent aussi dans notre corps une fermentation qui permet d'entretenir **des milliards de bactéries** dans nos intestins pour réguler notre système immunitaire.

Le saviez-vous ? Les bactéries de notre côlon décomposent et fermentent les fibres pour produire des acides gras. Un de ces acides gras, le butyrate, est la principale source d'énergie pour toutes ces bonnes bactéries.

Il n'y a pas d'AJR (apport journalier recommandé) officiel pour les fibres, mais une valeur d'au moins **25 g par jour** est retenue en tant que recommandation. Comment peut-on y arriver ? Les céréales complètes contiennent 5-6 g de fibres par portion. La quantité moyenne de fibres par portion de fruits et légumes est d'environ 3-5 g.

Fibres = une digestion en forme

Pour vous assurer que votre alimentation sans gluten contient la bonne quantité de fibres :

- sélectionnez des céréales complètes sans gluten (non raffinées, à l'exception du riz basmati) ;
- ajoutez des légumes et des fruits à chaque repas ou collation ;
- n'oubliez pas les protéines végétales comme les haricots ou les lentilles, qui sont de bonnes sources de fibres ;
- de petites quantités de fruits secs et d'oléagineux constituent des snacks naturellement sans gluten.

La vitamine B3, ou niacines, pour l'énergie, la peau et le système nerveux

On trouve la vitamine B3 - niacines - dans les protéines animales comme la viande, le poisson et la volaille, mais aussi dans les champignons, les tomates et les poivrons. Le riz brun, les graines de tournesol et les cacahuètes en sont aussi de bonnes sources (attention à l'arsenic pour le riz brun !).

Le folate pour l'énergie et la santé des globules rouges

On trouve naturellement du folate dans :

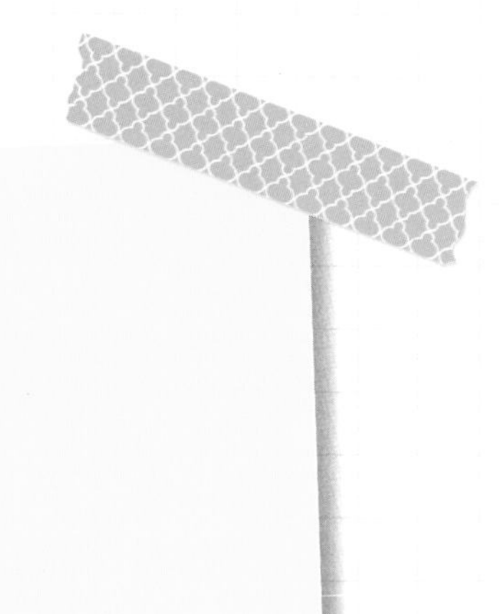

- le foie,
- les légumes à feuilles vertes,
- les viandes et la volaille,
- les fruits de mer,
- les haricots,
- les œufs,
- les oléagineux.

La vitamine B12 pour le cerveau et le système nerveux

On trouve la vitamine B12 dans les produits d'origine animale comme les produits laitiers, la viande, le poisson et les œufs. Bien que les algues et les champignons contiennent aussi de la vitamine B12, les études indiquent qu'elles s'absorbent moins facilement que celles provenant de source animale. De fait, si vous suivez un régime alimentaire sans gluten sur un **mode végétarien**, il vous faudra prendre des compléments en vitamine B12.

Fiche pratique : *bye-bye gluten*

Sans gluten ? Même pas peur !

Un régime sans gluten ne rime pas forcément avec « fade », « difficile », « déprimant » ou « produits industriels ». Je suis partie d'un régime existant pour le faire évoluer en plan de repas sans gluten. Ce dernier est également riche en fibres et en vitamines B. Voici donc un exemple de journée sans gluten, avec des repas aux couleurs et aux saveurs variées.

Repas	Avant	Après	Informations
Petit déjeuner	2 tranches de pain Confiture 1 fruit Café	2 tranches de pain maison complet sans gluten 1 c. a c. de purée d'amandes 1 fruit	Comme le pain sans gluten est moins riche en protéines, on en ajoute sous la forme d'oléagineux, de beurre, d'œufs ou de fromage. Les oléagineux contiennent aussi des vitamines B et des fibres.
Déjeuner	À la cantine : Steak haché Pâtes Haricots verts Fromage + pain Dessert sucré	Steak haché Carottes Haricots verts Fromage + salade verte Yaourt nature + fruit	Le steak haché est constitué de viande à 100 %. Ajoutez un second légume pour remplacer les pâtes (fibres). Prenez le fromage avec une salade verte plutôt qu'avec du pain (fibres et folate). Remplacez le dessert par un yaourt nature et un fruit (fibres).
Snack	1 biscuit du distributeur automatique	30 g d'un mélange de fruits à coque (oléagineux) et de fruits secs	Naturellement sans gluten et une bonne source de protéines, de fibres et de vitamines B.
Dîner	Soupe Salade Pain 1 tranche de jambon	Soupe Salade au quinoa	C'est plus simple de préparer des céréales sans gluten à la maison. Ajouter des légumes renforce la contenance en fibres et en folate du menu quotidien.

Comment éviter la contamination au gluten à la maison ?

Le sujet de la contamination à la maison concerne les personnes souffrant de la maladie cœliaque et d'allergies sévères au blé.
La famille entière doit-elle adopter un régime sans gluten à la maison ? Une **solution harmonieuse** pour toute la famille est à trouver. Par exemple, l'ensemble de la famille pourrait manger sans gluten pendant la semaine – pour limiter le temps de préparation –, mais des repas avec gluten pour certains membres de la famille pourraient être prévus le week-end – quand on est davantage disponible pour cuisiner sans risque de contamination.
Planifier les menus à l'avance permet d'assurer suffisamment de variété au niveau des céréales et des féculents utilisés, par exemple : riz le lundi, pommes de terre le mardi, quinoa le mercredi, patate douce le jeudi, galettes de sarrasin le vendredi, pizza sans gluten le samedi et pommes de terre au four le dimanche.

Quelques astuces pour limiter le risque de contamination

- Avoir une machine à pain spécifiquement pour le « sans gluten ».
- Utiliser des bols, des plats et des ustensiles spécifiques pour la préparation de plats sans gluten.
- Utiliser un grille-pain spécifique pour le « sans gluten ».
- Utiliser des planches de préparation et des cuillères en métal ou en plastique plutôt qu'en bois, car des résidus de gluten pourraient s'y fixer.
- Utiliser des bouteilles à bec verseur pour les condiments et les sauces (pour éviter la contamination par les cuillères) ou bien utiliser deux bocaux dont un étiqueté « sans gluten ».
- Nettoyer toutes les surfaces de préparation avant et après la cuisine et éviter de préparer en même temps des aliments avec et sans gluten.
- Nettoyer soigneusement tous les ustensiles de cuisine.
- Avoir dans la cuisine une armoire dédiée aux produits et aux ustensiles sans gluten.

Euh…
J'ai oublié
un truc, c'est
bien ça ?

4. LE PROGRAMME

Prenez ce chapitre comme un guide pour élaborer à la maison un régime « sans gluten » !

Le relooking des repas sans gluten

Un plan de repas pour réinventer la cuisine sans gluten, sans provoquer de carences, et avec du goût, s'il vous plaît !

Repas	Le menu « sans gluten » à éviter	Le menu « sans gluten » à suivre
Petit déjeuner	4 galettes de riz Café	2 galettes de riz Purée d'amandes ou fromage 1 yaourt 1 fruit
Déjeuner	4 galettes de riz Salade 1 gâteau « sans gluten » fait avec de la farine de riz 1 fruit	Grande salade avec du quinoa ou du sarrasin 1 portion de protéines animales ou végétales Salade de fruits
Goûter	2 gâteaux « sans gluten » faits avec de la farine de riz	1 petite poignée de noix
Dîner	2 galettes de riz 1 bol de soupe	1 bol de soupe Des œufs 1 compote
Conclusion	Manque de variété (beaucoup de riz !) Manque de protéines, de fibres et de vitamines B	Bien équilibré Bravo !

Quiz : *Indicateur vert, orange ou rouge ? Déterminez votre niveau de sensibilité au gluten.*

Quelle est la situation qui vous correspond le mieux ?

A. L'ingestion de produits contenant du gluten provoque chez vous :
- de vives douleurs au ventre,
- des ballonnements,
- et d'autres problèmes digestifs,

au point de perturber vos activités quotidiennes. Ces symptômes diminuent dès que vous retirez le gluten. Vous n'envisagez pas de réintroduire progressivement du gluten, car même une petite quantité déclenche de nouveau les symptômes.

→ Vous êtes dans le **rouge** et devez adopter un régime strict sans gluten pendant une période de temps indéterminée.

B. Vous expérimentez des problèmes légers de digestion ou de ballonnements, assez désagréables, sans pour autant que ceux-ci perturbent vos activités quotidiennes.

→ L'indicateur est **orange**. Essayez un régime sans gluten pendant deux à trois semaines pour voir si les symptômes s'améliorent. Si c'est le cas, tentez de réintroduire de petites quantités de gluten en commençant par les formes les plus faciles à digérer comme le pain au levain ou le pain de seigle. Cherchez à déterminer vos niveaux de tolérance personnels. Beaucoup dans cette catégorie parviennent à faire disparaître les symptômes s'ils se limitent à un seul aliment par jour contenant du gluten. C'est la prise de blé à chaque repas qui peut déclencher les symptômes.

C. Vous ne rencontrez aucun problème de digestion, même après avoir avalé trois pizzas au milieu d'un champ de blé.

→ Vous êtes l'un de ces chanceux avec un indicateur **vert** et une digestion de fer. Montrez-vous toutefois compréhensif avec les autres !

Petit guide social pour bien gérer les soirées, les dîners et les sorties au restaurant

Si vous sortez beaucoup, vous rencontrez peut-être des situations où votre sensibilité au gluten vous embarrasse. Toutes proportions gardées, si cette sensibilité est un vrai désagrément pour vous, ce n'est pas le cas pour les autres. Mettez en avant vos qualités, votre joie de vivre, et ne laissez pas votre sensibilité alimentaire vous gâcher vos soirées ni influencer votre personnalité.

La règle d'or ? Évitez la corbeille à pain, les produits à base de pain, les pâtes et, selon votre degré de sensibilité, soyez prudent avec les sauces.

Restez bien sûr poli, mais ne laissez jamais quelqu'un vous forcer à manger quelque chose. Si votre sensibilité au gluten est forte, prévenez vos relations à l'avance en trouvant le moment propice. Acceptez la situation telle qu'elle est, sans stress. Détendez-vous, amusez-vous, car une sortie au restaurant ou un dîner chez des amis doit avant tout rester un plaisir.

Lorsque vous rencontrez quelqu'un

Dire

Bonjour, je suis X, ravi de vous rencontrer.

Ne pas dire

Bonjour, je suis X et je suis tellement sensible à cette saleté de gluten que j'ai de gros problèmes digestifs. Je peux vous en parler longtemps...

Lorsque vous allez dîner chez des amis

Si vous souffrez d'une forte sensibilité au gluten, ils vous seront reconnaissants de les avoir prévenus au moins deux jours à l'avance pour qu'ils adaptent leur menu.

Dire

Carole, je voulais juste te prévenir que je suis intolérant au gluten, j'évite donc le blé, l'orge et le seigle. J'espère que cela ne pose pas trop de problèmes ? Si oui, dis-moi. Combien sommes-nous ? Je peux préparer un plat ou un dessert. Je suis tellement ravi de vous voir ce samedi !

Ne pas dire
Carole, je suis intolérant au gluten, donc merci de t'assurer que le repas n'en comportera pas. J'évite aussi le sucre et je n'aime pas non plus l'agneau et le porc. Je digère très mal les oignons et les poivrons et j'ai horreur des aubergines et des tomates. Hum... Je pense que c'est tout.

Quand vous êtes à table

Faire
Passer normalement le pain à vos voisins sans dire quoi que ce soit. C'est d'ailleurs souvent une bonne approche pour la vie de tous les jours.
Ne pas dire/faire
Faire la grimace quand le pain circule en disant à vos voisins : « Ne mangez pas de pain, cela transforme progressivement le cerveau en soupe et nous finirons tous comme dans The Walking Dead. *»*

Vous avez oublié de prévenir de votre sensibilité

Dire
Zut ! J'ai oublié de te rappeler que je ne peux pas manger de gluten. Je suis vraiment désolé. Puis-je prendre de la sauce avec ces bons légumes ?
Ne pas dire (devant un plat de pâtes)
Tu ne te rappelles donc plus que je ne peux pas manger de gluten ? Tu as la mémoire d'un poisson rouge ! As-tu autre chose à manger ? Non ? Je n'y crois pas, tu l'as fait pour m'embêter ?

Quand arrive le dessert

À dire (certains diront à la mode britannique)
Cela a l'air délicieux, mais je n'ai plus faim. En revanche, puis-je avoir la recette ?
Ne pas dire
Je n'en veux pas, il est plein de sucre, de farine et de gras qui vont boucher mes artères, abîmer mes dents et me donner l'air d'être enceinte de 6 mois. Et en plus, ce n'est pas super-appétissant.

Au restaurant avec le serveur

Dire
Bonsoir, monsieur. J'ai besoin de votre conseil : je dois éviter le gluten, que l'on trouve dans le blé. Ce poisson à la plancha me semble parfait, qu'en pensez-vous ?
Ne pas dire/faire (façon diva)
Je suis très allergique au gluten... C'est écrit là : g-l-u-t-e-n. Vous comprenez ? G-l-u-t-e-n. Avez-vous au moins un seul plat sans g-l-u-t-e-n sur votre carte ? Vraiment, rien ne me plaît dans ce menu !

Et si vous avez une digestion de fer mais des amis ou des relations sensibles au gluten, soyez compréhensif. Non, ce n'est pas purement psychologique et les symptômes peuvent être vraiment très douloureux ou inconfortables. Comportez-vous avec eux comme avec vos amis qui souffrent d'autres problèmes de santé, ils vous en seront très reconnaissants.

Petit guide pour soutenir vos amis qui suivent un régime sans gluten

Est-ce vraiment si difficile de préparer un repas adapté pour eux ?

Pour un **déjeuner en famille** : poulet rôti, épinards et pommes de terre au four, salade de fruits et yaourt grec au miel.
Pour un **dîner « zen » entre amis** : saumon, riz basmati, haricots verts avec une sauce pesto, fromage et salade verte, mousse au chocolat et salade de baies.
Vraiment pas compliqué, avec en plus du goût et des nutriments !

Dans une conversation

Dire
Je me suis rappelé que tu étais sensible au gluten, j'ai donc remplacé la farine par des amandes dans le gâteau, j'espère que tu aimeras.
Ne pas dire
Je ne peux pas croire que tu ne manges pas de gluten, essaie donc, cela ne te fera pas de mal.

Pour une invitation à dîner

Dire
J'aimerais vous inviter dimanche midi, je prévois un poulet rôti et des pommes de terre, cela devrait aller, c'est sans gluten, n'est-ce pas ?
Ne pas dire
Pour dimanche, je prévois un grand plat de lasagnes, car tout le monde aime ça. Ah oui, pour ton histoire de gluten, on verra s'il y a de la salade pour toi au frigo, mais tu pourrais peut-être faire un effort, cette fois.

Il n'y a rien de pire que de se sentir soudainement ballonné à la fin d'un dîner entre amis. Vous vous êtes habillé élégamment et vous voilà extrêmement mal à l'aise et trop serré ? Si vous ne souhaitez pas renoncer à votre garde-robe de séducteur/séductrice, appliquez désormais la stratégie suivante : proposez votre aide pour débarrasser les assiettes, ce qui facilitera la circulation dans votre système digestif. De plus, votre hôte en sera ravi ! Dans tous les cas, ne stressez pas trop. Personne ne regarde votre ventre, la conversation est bien trop animée pour cela.

Une autre petite astuce quand on a un ventre qui « ballonne » soudainement

La position de yoga « chat-vache » (un peu difficile à faire au restaurant ou en dîners) : sur le dos, en ramenant en douceur les genoux contre la poitrine plusieurs fois.

Adapter le programme aux enfants

Les enfants et les allergies

Le risque d'allergies, bien que relativement rare, est d'environ **6 %** chez les enfants. Les allergies portent principalement sur :

- les œufs,
- le lait,
- les cacahuètes,
- le soja,
- le blé.

Les principaux symptômes allergiques chez les enfants sont :

- des problèmes digestifs,
- des problèmes cutanés (eczéma ou dermatite atopique).

D'autres symptômes prennent la forme de :

- rougeurs au visage,
- démangeaisons,
- légère enflure des lèvres.

En grandissant, les enfants tendent à se débarrasser de leurs allergies aux **œufs** et au **lait**. Même si des travaux de recherche actuels cherchent à nous éclairer, il semblerait que leur système immunitaire se désensibilise progressivement de certains allergènes au point de ne plus y réagir du tout. Les recherches portent donc sur d'éventuelles thérapies de désensibilisation : on donne à des individus de petites quantités de certains allergènes sur une longue période pour que leur système immunitaire parvienne finalement à les identifier comme non dangereux.

N'essayez surtout pas à la maison,
ce sont des travaux menés en laboratoire !

Les potentielles allergies alimentaires chez les enfants doivent être prises très au sérieux. Si vous pensez que votre enfant est concerné, vous devez en aviser votre médecin traitant. Les enfants doivent avoir une alimentation variée, il est donc très important de conserver cette diversité dans leurs menus, tout en prenant en compte les allergies diagnostiquées.

TDAH et autisme

Depuis peu, il est question de recourir aux régimes **sans caséine et sans gluten** en tant que « thérapie » pour les enfants souffrant :

- de troubles déficitaires d'attention avec hyperactivité (TDAH),
- d'autisme,
- d'autres troubles du comportement.

La théorie est la suivante : certains enfants auraient du mal à digérer ces composants, et des molécules de nourriture non digérée parviendraient à passer dans le flux sanguin, au point d'affecter le développement des **fonctions cérébrales**.
Selon certains témoignages de parents, le comportement de leurs enfants se serait amélioré une fois ce régime adopté. Cette thèse a été réfutée par des études scientifiques menées sur des échantillons représentatifs. Le comportement de ces enfants ne serait finalement pas lié à leur régime alimentaire.
Moi-même parent, je comprends que l'on veuille tout essayer pour aider son enfant, mais cette théorie n'est vraiment pas fondée scientifiquement, alors prudence. C'est de plus assez difficile de retirer à la fois les produits laitiers et le gluten de l'alimentation d'un jeune enfant. Si vous voulez vraiment essayer, il est très important que l'alimentation de votre enfant comporte des **sources non laitières de calcium** et des **céréales sans gluten**.

Les ados et la quête d'indépendance alimentaire

Vos adolescents recherchent naturellement à s'émanciper, et cela touche aussi leur alimentation. Vous lui concoctez un bon steak, mais, une fois à table, avec une belle grimace, votre ado vous annonce qu'il ne mange plus de viande. « Il faut protéger les animaux et défendre notre planète. » Cela vous rappelle quelque chose ? Évitez surtout une nouvelle crise de larmes. Après tout, les points soulevés sont valides et dignes de discussion. Lancez plutôt la conversation sur l'importance d'un régime équilibré et suggérez à votre ado de s'impliquer dans la préparation des menus.
Gardez toutefois à l'esprit que beaucoup de troubles alimentaires commencent par l'exclusion d'un certain aliment, puis de catégories complètes. Si votre enfant commence à éviter le gras, ensuite le gluten, puis toutes les céréales, et finalement les fruits, il faut prendre conseil auprès de votre médecin traitant.

! Vous avez entendu parler de l'orthorexie ? C'est un trouble du comportement alimentaire caractérisé par une fixation sur l'ingestion d'une nourriture saine.

L'essentiel sur les régimes « naturellement sans gluten »

Le régime paléo

Pensez aux hommes préhistoriques, sveltes, sans doute un peu rustres, mais par définition écolos. Ce régime s'inspire de ce que pouvait être **l'alimentation des hommes des cavernes** :

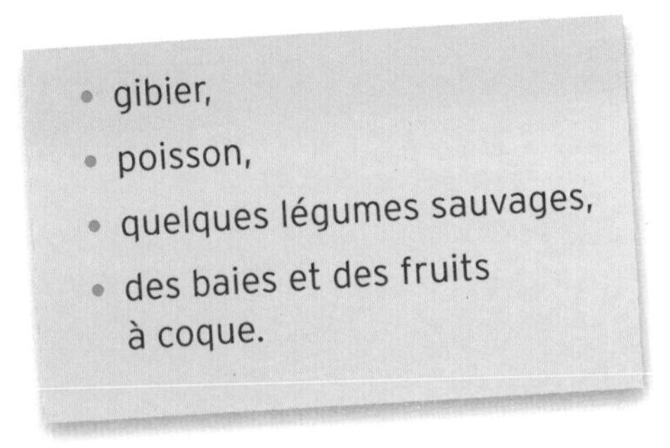

Puisqu'ils n'existaient pas à l'époque préhistorique, les aliments suivants sont écartés de ce régime :

- les céréales, même celles sans gluten,
- les légumes riches en féculents,
- les produits laitiers,
- les aliments transformés.

Les promoteurs de ce régime avancent le fait que notre système digestif ne se serait pas suffisamment adapté pour ces « nouveaux » aliments. Selon eux, ce régime améliore la santé du système digestif, réduit le risque de maladies chroniques et permet en outre de bien gérer son poids.
Ce sont souvent des athlètes sportifs masculins à la musculature impressionnante qui l'adoptent.

Ce qui est bien avec ce régime

Tout régime alimentaire mettant en avant les **aliments frais et non transformés** a des chances d'être bon pour la santé. Il repose aussi sur une activité physique importante... À vous les carrés de chocolat !

Ce qui est moins bien

- **Aucune étude scientifique** solide n'a validé ce régime. L'homme mange des céréales depuis très longtemps et notre système digestif est parfaitement adapté pour cela. Une objection assez évidente à soulever est que les hommes préhistoriques ne vivaient tout simplement pas suffisamment longtemps pour développer des maladies chroniques...
- Ce régime est également **très coûteux**. Essayez de manger du chevreuil, du faisan ou du sanglier tous les jours, vous deviendrez le meilleur ami de votre boucher.
- On se pose aujourd'hui beaucoup de questions sur la **quantité de protéines animales** dont nous avons besoin. Un lien a été établi chez les personnes adultes entre la consommation importante de protéines animales et un risque accru de cancers. En effet, les protéines animales en excès peuvent stimuler la croissance de cellules. À l'inverse, des études ont identifié un lien entre la consommation faible ou modérée de protéines animales à l'âge adulte et une espérance de vie plus longue.
- Il y a un risque de **carences en fibres et en calcium**, même si les vastes quantités de viandes absorbées apportent beaucoup de vitamines B et de fer à l'organisme.
- Dans un monde où la population augmente fortement, avec des questionnements sur la capacité de la planète à nourrir prochainement une population de 10 milliards d'habitants, manger des protéines animales trois fois par jour ne va pas dans le sens de l'histoire, sauf à passer au régime insectivore...

Un menu typique du régime paléo

Petit déjeuner : viande hachée et légumes.
Déjeuner : viande et légumes verts ; 1 poignée d'amandes.
Dîner : rôti de saumon, épinards et champignons ; 1 bol de baies.

Le régime pauvre en glucides – le « low carb »

Il ressemble au régime paléo, sauf que les produits laitiers sont autorisés, et pas seulement ceux à 0 %... Vous pouvez vous lâcher sur la crème fraîche et le fromage !
Ce régime est fortement mis en avant pour perdre du poids, car les glucides, féculents et sucres sont très faciles à « stocker » quand ils sont consommés en excès. Un régime pauvre en glucides a donc naturellement un **impact positif sur la perte de poids**, études scientifiques à l'appui.
Les repas se composent :

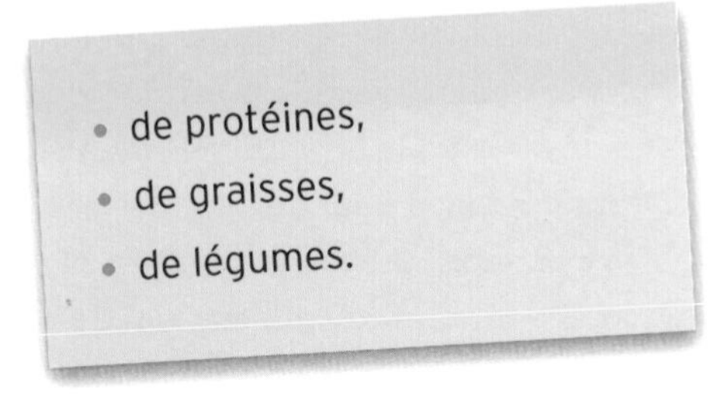

Sont complètement éliminés ou limités à une ou deux petites portions par jour :

- les céréales,
- les féculents,
- les fruits.

D'autres travaux ont révélé que ce régime est particulièrement bénéfique pour les personnes souffrant de **résistance à l'insuline** ou de **diabète de type 2** et qui ont du mal à bien contrôler les pics de sucre dans le sang lorsqu'ils mangent des glucides raffinés. Gardez toutefois à l'esprit que, même si les féculents n'ont pas le goût de sucre, ils sont au bout du compte décomposés en **unités de glucose**. Ces dernières fournissent de l'énergie de façon immédiate à l'organisme, ou sont stockées dans les muscles ou les cellules graisseuses.

Ce qui est bien avec ce régime

- C'est aussi un régime qui repose sur des produits frais et peu ou non transformés.
- Un apport plus élevé en protéines et en graisses facilite la **sensation de satiété** par comparaison aux régimes pauvres en gras. Ces derniers entraînent une plus forte consommation de féculents, car leurs adeptes ont toujours une sensation de faim. À l'inverse, lorsque l'on se sent repu, on mange mécaniquement moins...
- Ce régime semble en effet plus efficace pour une perte rapide de poids que les autres régimes.

Ce qui est moins bien

- Le régime pauvre en glucides peut être plus riche en **graisses saturées**, du fait de sa richesse en protéines et en produits laitiers. Notons toutefois que les dernières études sur les graisses saturées sont désormais « neutres » quant à leur impact sur la santé, ce n'est donc pas forcément un point négatif (!).
- Il risque aussi d'être pauvre en fibres si l'on exclut complètement les céréales.
- Il peut être difficile à suivre sur le long terme.

Un menu typique du régime « low carb »

Petit déjeuner : yaourt à la grecque avec des baies.
Déjeuner : salade de poulet, fromage et noix pour le dessert.
Dîner : maquereau grillé, haricots verts et épinards.

Le régime cétogène

C'est un régime dont on parle beaucoup ces jours-ci. Il réduit drastiquement les féculents et les sucres à moins de 5 % de l'apport quotidien en calories (soit 20 g par jour) et fait reposer le régime alimentaire essentiellement sur **les graisses (75-80 %)** comme :

- l'huile,
- les noix,
- l'avocat,
- les produits d'origine animale à forte teneur en gras, comme le poisson gras et les œufs.

L'apport en protéines est quant à lui modéré (15 %).

Limiter fortement l'apport en glucides force votre corps à utiliser les graisses comme source alternative d'énergie et à produire des **cétones**, qui sont une source d'énergie pour le cerveau et les autres organes. Si vous voulez en savoir plus, je vous conseille la lecture de mon livre *Comment j'ai adopté le régime gras*, paru en janvier 2016 chez le même éditeur.

Ce qui est bien avec ce régime

- Les études menées révèlent des résultats intéressants. Il était initialement préconisé comme régime thérapeutique pour les enfants souffrant d'épilepsie, car les cétones ont un rôle important de stabilisation des fonctions cérébrales et protègent le cerveau contre les inflammations.
- Ce régime semble très efficace pour brûler des graisses, tout en préservant la masse musculaire, un objectif que devrait réaliser le régime idéal.
- Une fois encore, ce régime repose sur des produits frais et peu transformés.

Ce qui est moins bien

- Comme le régime paléo, les produits d'origine animale y sont majoritaires.
- Il est pauvre en fibres et peut être difficile à suivre sur le long terme.

Un menu typique du régime cétogène

Petit déjeuner : 2 œufs au bacon avec 1 tomate.
Déjeuner : steak cuit au beurre avec une salade épinards-champignons.
Dîner : sardines grillées au pesto, petite salade verte aux avocats.

Fait intéressant !

Les recommandations récentes des pouvoirs publics se focalisent désormais sur la consommation d'« aliments entiers », ou sur l'adoption d'un régime alimentaire équilibré plutôt que sur l'absorption ou la restriction de tel ou tel nutriment. Une approche alimentaire particulièrement conseillée repose sur la consommation régulière de légumes, céréales, haricots, lentilles, graines, fruits et fruits à coque... Cela ne vous rappelle-t-il pas le régime méditerranéen ?

Quel est le point commun entre tous ces régimes ? Ils reposent sur des aliments frais, naturels et pas ou peu transformés !

Notes

Comment ça, y a un problème avec le menu ? C'est quoi le souci avec la fondue savoyarde ? Elle est allergique au fromage, ta copine Léa ?
Pas au fromage, non

5. *MENUS ET RECETTES*

Voici enfin le grand moment ! Je vous propose 40 recettes naturellement sans gluten pour vous sentir en forme et vous garder en bonne santé. Avec, en prime, une semaine de menus pour décrocher du gluten avec le sourire !

La cerise sur le gâteau ?
Certaines recettes sont à faible contenu en glucides
et compatibles avec le régime paléo.

Petit rappel des dix principes pour décrocher du gluten de façon saine et équilibrée

1. Assurez-vous que vous ne souffrez pas de la maladie cœliaque ou d'allergies au blé, car ces pathologies nécessitent un suivi médical renforcé, à l'inverse des sensibilités au gluten.

2. Restez optimiste et regardez plutôt le verre à moitié plein. De nombreux aliments naturellement sans gluten vous sont autorisés.

3. Ne diabolisez pas non plus le gluten en lui collant une étiquette « poison ». Il s'agit juste d'un composant alimentaire que votre organisme tolère avec difficulté, rien de plus.

4. Ce qui est essentiel dans un régime sans gluten, c'est la variété de votre alimentation. Inclure au lieu d'exclure doit être votre leitmotiv.

5. Privilégiez les aliments peu transformés et naturellement sans gluten. Les aliments transformés sans gluten sont très chers et contiennent les mêmes proportions de sucres et de graisses transformées que leurs équivalents.

6. Un mot d'ordre : planification et organisation des repas. Ce principe s'applique à tous ceux qui souhaitent manger sainement, et pas seulement à ceux qui suivent un régime sans gluten.

7. Assurez-vous d'un apport suffisant en fibres et en vitamines B en consommant des céréales sans gluten, des légumes, des fruits, des oléagineux et des graines. Les protéines animales sont aussi une bonne source naturelle de vitamines B.

8. Si vous aimez cuisiner, passez aux fourneaux et préparez votre gâteau favori en remplaçant la farine de blé par un mélange de farines sans gluten. Au pire, vous aurez un gâteau dur comme une brique que vous pourrez donner aux oiseaux si vos enfants n'en veulent pas !

9. N'oubliez pas que manger doit rester un plaisir. Ce n'est ni une source de stress, ni une punition, ni une pénitence. Les aliments sont là pour nous nourrir.

10. Soyez prêt à ignorer votre prochain s'il est lui-même intolérant avec les personnes intolérantes au gluten. Vous entendrez toutes sortes de positions extrêmes : du gluten perçu comme un poison au « sans gluten » vu comme une mode. Ce qui compte, c'est ce qui marche pour vous ! Utilisez ce livre comme un argument de poids dans vos débats, mais, hélas, ce genre de position extrême repose sur des croyances personnelles et rarement sur des faits scientifiques !

Si vous vous sentez en meilleure santé avec un régime sans gluten et que celui-ci est sain, aussi varié que possible et reposant sur des aliments naturellement sans gluten, votre alimentation sera équilibrée avec tous les nutriments nécessaires.

Les plans S.O.S. du « sans gluten »

S.O.S. « Le pain me manque »	Essayez différentes sortes de pain : - pain à l'avoine - pain aux amandes - pain « amnésique » ou une bonne boulangerie spécialisée en « sans gluten »
S.O.S. « J'ai besoin de confort »	Pizza à la polenta Crumble aux fruits
S.O.S. « Brunch pour 10 personnes »	Frittata et salade Socca et houmous Yaourt à la banane Salade de fruits rouges
S.O.S. « Bon goûter pour enfants »	Gâteaux au maïs Cookies « rustiques » banane-chocolat « Bonbons » sans sucre
S.O.S. « Dîner pour impressionner en société »	Salade au quinoa et aux lentilles Saumon au curry Épinards Gâteau poire-chocolat
S.O.S. « Fatigué, stressé et grincheux »	Smoothie arc-en-ciel (5 mn) Pizza paléo
S.O.S. « Beaucoup d'allergies et végétarien »	Pilaf teff et poivrons Cheese-cake au tofu

On se lance !

Une semaine sans gluten, mais surtout avec des menus variés, faciles et bon marché !

	Lundi	Mardi	Mercredi
Petit déjeuner	Super-bol « arc-en-ciel »	Pot « Bircher müesli »	Boules d'énergie crues
Déjeuner	Spaghetti de courgettes aux crevettes Yaourt nature 1 fruit	Petites frittatas Salade verte 1 fruit	Salade du garde-manger Yaourt nature 1 fruit
Dîner	Salade « bijou » 30 g de fromage (facultatif) ou 1-2 carrés de chocolat noir	Saumon au curry coco Épinards Riz basmati (facultatif) Boules d'énergie crues	Poulet avec des fajitas vertes 1-2 carrés de chocolat noir

Jeudi	Vendredi	Samedi	Dimanche
Super-bol « arc-en-ciel »	Pot « Bircher müesli »	Barres aux céréales « festives »	Brunch : Pain d'avoine Saumon fumé Fromage à pâte molle Salade de fruits Barres aux céréales « festives »
Salade chaude au sarrasin et à la betterave 1 fruit	Pilaf teff et poivrons 1 fruit	Saumon chirashi, façon paléo 1 fruit	En-cas si nécessaire : 2 crackers de flocons d'avoine 1 c. à s. d'houmous extra de Charlotte Crudités
Pizza verte Salade verte Boules d'énergie crues	Galettes de sarrasin : Œuf Épinards Fromage Crevettes Salade verte Brownies à la betterave	Rôti de porc Haricots verts Crumble aux fruits	Canard à l'orange Chou pak choï Cheese-cake au tofu

Pour remplacer les œufs (sauf pour les frittatas)

Œuf de lin : 1 c. à s. de graines de lin + 3 c. à s. d'eau = un œuf.
Les compotes de fruits aident aussi à lier les pâtes à gâteaux et à limiter l'effritement.
À vous de jouer !

Pour remplacer les produits laitiers

Pensez aux laits végétaux comme le lait d'amande ou le lait d'avoine.
Les crèmes au soja, aux amandes et à la coco peuvent remplacer les yaourts et la crème fraîche.
Les huiles peuvent remplacer le beurre.

Pour diminuer le temps de cuisson, faites tremper à l'avance les céréales entières.

Vous pouvez ajouter les fruits ou légumes frais en dés, rapés ou en compote pour garder plus de goût et de fibres dans vos gâteaux et vos pains.
Et le plus ? On peut réduire les quantités de sucre !

Les recettes

Quelques idées faciles et « fun », et j'insiste là-dessus. Les recettes ne sont pas compliquées et les ingrédients pas difficiles à trouver. Nul besoin d'être un MasterChef ou un archéologue hors pair, je vous le jure.

Vous pouvez faire vous-même de la farine sans gluten, – de la farine d'avoine par exemple – en mixant les flocons. Super facile !

Pour les gens qui souffrent de la maladie cœliaque, achetez de l'avoine « sans gluten » pour les recettes suivantes : pain à l'avoine, muffins du lundi, pot « Bircher müesli », barres aux céréales « festives », cookies « rustiques », crackers de flocons d'avoine, boules d'énergie, crumble végétalien, crumble aux fruits et cheese-cake au tofu.

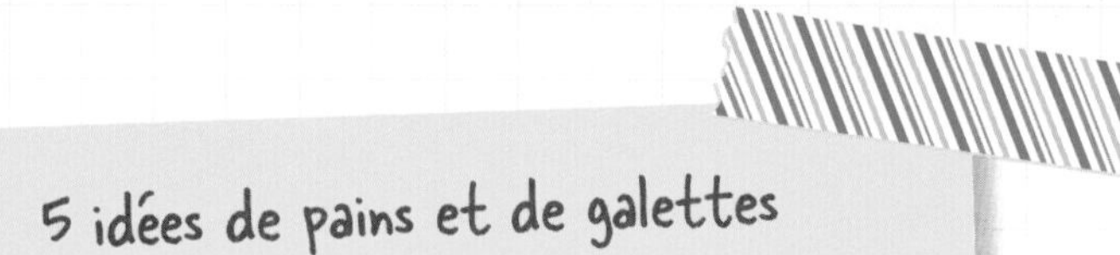

Pain à l'avoine

Ce pain s'appelle soda bread *en Irlande. N'utilisez qu'½ c. à c. de bicarbonate de soude, pas plus, sinon vous aurez l'impression de manger du savon !*

Préparation : 15 mn
Cuisson : 30 mn
Sans blé et sans gluten

Ingrédients pour 4 personnes

250 g de flocons d'avoine

30 g de graines (n'importe lesquelles, j'ai une préférence pour les graines de tournesol)

½ c. à c. de bicarbonate de soude

½ c. à c. de cannelle en poudre

½ c. à c. de sel

100 g de yaourt nature

150-200 ml de lait

1 c. à c. de miel

Préchauffer le four à 200 °C (th. 6-7).

Placer 200 g de flocons d'avoine dans un mixeur ; les réduire jusqu'à obtenir une consistance de « farine ».

Placer la farine, les 50 g de flocons d'avoine restants, les graines, le bicarbonate de soude, la cannelle et le sel dans un grand bol.

Dans un autre récipient, mélanger le yaourt, le lait et le miel (commencer avec 150 ml de lait). Déverser le tout dans le bol et mélanger jusqu'à obtenir une consistance de pâte à pain. Si c'est trop sec, ajouter un peu plus de lait.

Utiliser les mains pour former un cercle. Dessiner un grand « X » sur la pâte (dans le passé, c'était pour faire fuir les mauvais esprits, mais honnêtement, c'est plus facile à rompre ensuite en 4 morceaux !).

Placer sur une plaque de cuisson et enfourner pendant 30 mn.

OPTION

Pour une dégustation plaisir, accompagner avec un fromage à pâte molle ou du saumon fumé.

Socca

Une spécialité du Sud, plus spécialement de Nice, parfaite pour un brunch ou le déjeuner. Je mélange des tomates, un avocat et de la roquette pour les garnir. Comment se procurer la farine de pois chiche ? Soit vous la faites vous-même avec un (très) puissant mixeur pour pulvériser les pois chiches secs en farine, soit vous l'achetez dans un magasin bio.

Préparation : 10 mn
Cuisson : 30 mn
Sans blé et sans gluten

Ingrédients pour 8 soccas
200 g de farine de pois chiche
1 c. à c. de sel
400 ml d'eau
4 brins de basilic finement hachés
Poivre
Beurre ou huile d'olive

Mélanger tous les ingrédients ensemble (sauf le beurre ou l'huile d'olive).

Graisser une poêle antiadhésive avec un peu d'huile ou de beurre et placer sur feu vif. Quand elle est chaude, ajouter une grosse cuillerée du mélange et faire cuire 2 à 3 mn de chaque côté. Répéter jusqu'à épuisement de la pâte.

Galettes de sarrasin

Astuce perso : je les fais à l'avance, car elles se conservent au réfrigérateur pendant 2 ou 3 jours. Bien couvrir toutefois avec du film étirable et placer dans une boîte hermétique.

Préparation : 10 mn
Cuisson : 40 mn
Sans blé et sans gluten

Ingrédients pour 10 galettes
300 g de farine de sarrasin
1 c. à c. de sel
500 ml d'eau
1 œuf
Poivre
Beurre ou huile d'olive

Mélanger tous les ingrédients (sauf le beurre ou l'huile d'olive) et laisser reposer pendant 15 mn.

Graisser une poêle antiadhésive avec un peu d'huile ou de beurre et placer sur feu vif. Quand elle est chaude, ajouter une grosse cuillerée du mélange et faire cuire 2 à 3 mn de chaque côté. Répéter jusqu'à épuisement de la pâte.

Pain aux amandes et aux légumes

Je coupe chaque portion, côté longueur, en 2 petites tranches, comme un sandwich.

Préparation : 10 mn
Cuisson : 45-50 mn
Sans blé, sans gluten et paléo

Ingrédients pour 8 personnes

200 g de poudre d'amandes

60 g de graines mélangées (tournesol, courge, chia, sésame)

½ c. à c. de sel

4 œufs

½ courgette râpée

1 carotte râpée

½ c. à c. de paprika

½ citron pressé

Préchauffer le four à 150 °C (th. 5). Mélanger tous les ingrédients ensemble.

Verser la pâte dans un moule à gâteau carré (24 cm environ). Enfourner pendant 45 à 50 mn.

OPTION

Pour un pain aux amandes sucré, remplacer les légumes et le paprika par 125 ml de compote de pommes, 1 c. à s. de miel et ½ c. à c. de cannelle.

Pain amnésique

On l'appelle pain amnésique, ou pain des étourdis, car on a oublié la farine ! C'est entre l'omelette et la galette. Je l'adore façon « tartine ouverte » avec de l'avocat et des crevettes.

Préparation : 15 mn
Cuisson : 25 mn
Sans blé, sans gluten, pauvre en glucides

Ingrédients pour 8 petits pains amnésiques

3 œufs

100 g de fromage frais (type Kiri® ou St Môret®)

1 bonne poignée de pousses d'épinards finement hachées

30 g de graines de courge concassées (facultatif)

½ c. à c. de levure chimique

Sel et poivre

Préchauffer le four à 150 °C (th. 5). Préparer une plaque de cuisson et la recouvrir de papier cuisson.

Séparer les blancs des jaunes d'œufs dans 2 bols. Mélanger les jaunes avec le fromage, puis ajouter la levure, les épinards et les graines.

Fouetter les blancs d'œufs en neige avec une pincée de sel et les incorporer délicatement aux jaunes.

Utiliser une grande cuillère pour dessiner 8 disques de pâte sur la plaque de cuisson. Enfourner pendant 25 mn.

5 idées de petits déjeuners

Super-bol « arc-en-ciel »

Bye bye le smoothie, le « super-bol » est la tendance de cette année, plus épais, avec les garnitures au choix. Si vous préférez un smoothie, ajoutez 100 ml d'eau.

Préparation : 5 mn
Sans gluten et sans blé

Ingrédients pour 2 bols

1 banane

1 kiwi

1 poignée de fruits rouges surgelés

1 petite poignée de pousses d'épinards

2 dattes

1 c. à c. de purée d'amandes

50 ml de lait (de vache ou végétal, en fonction de votre goût)

Chips de coco, fruits frais en dés, graines, granolas pour saupoudrer les bols

Bien mixer jusqu'à obtenir une consistance très lisse et épaisse. Placer dans 2 bols et ajouter les garnitures de son choix.

Muffins du lundi

Parce qu'on optimise les restes de céréales du week-end !

Préparation : 10 mn
Cuisson : 25 mn
Sans gluten et sans blé

Ingrédients

200 g de céréales sans gluten cuites (riz ou quinoa par exemple)

50 g de flocons d'avoine

1 banane écrasée

1 pomme râpée (pas besoin d'enlever la peau)

2 œufs

1 c. à c. de levure chimique

1 poignée de raisins secs ou d'abricots secs hachés (facultatif)

100 ml de lait

Préchauffer le four à 180 °C (th. 6) et préparer des moules à muffins en silicone.

Placer tous les ingrédients (sauf les fruits secs) dans un mixeur jusqu'à obtenir une pâte lisse. Ajouter les fruits secs et mélanger légèrement.

Verser la pâte dans les moules à muffins et enfourner pour 20 à 25 mn.

Pot « Bircher müesli »

On l'adore. Il a été créé dans les années 1900 par un médecin suisse qui souhaitait proposer un petit déjeuner santé à ses patients. Il est plein d'atouts : digeste, riche en fibres et toujours bon ! Vraiment facile à faire, il doit juste être préparé la veille. On peut même l'apporter au travail.

Préparation : 5 mn
Trempage : la veille
Sans gluten et sans blé

Ingrédients pour 1 pot
40 g de flocons d'avoine
10 g de graines (chia, tournesol ou lin)
1 bonne pincée de poudre de cannelle
2 pruneaux ou 3 abricots secs hachés
100 ml de jus de pomme

Avant de servir
1 fruit tranché
125 g de yaourt nature

Mélanger tous les ingrédients dans un bol ; le placer au frigo toute la nuit.

Juste avant de déguster, ajouter le fruit tranché et le yaourt.

Barres aux céréales « festives »

Si, comme moi, vous avez déjà fait quelques barres aux céréales qui s'émiettent, j'ai deux astuces : mixer la moitié de la pâte avant de la cuire et/ou bien presser la pâte dans le moule avant la cuisson. Au pire, vous aurez un bon granola !

Préparation : 15 mn
Cuisson : 35 mn
Sans gluten et sans blé

Ingrédients pour 12 barres
120 g d'huile de coco
100 g de miel
100 g de purée de cacahuètes
50 ml de jus de pomme
200 g de flocons d'avoine (ou millet ou quinoa)
1 pincée de poudre de gingembre
Le zeste d'½ orange
50 g de graines de courge
50 g de graines de tournesol
50 g de chips de coco
100 g de canneberges séchées

Préchauffer le four à 180 °C (th. 6) et préparer un moule à gâteau carré.

Faire fondre dans une grande poêle l'huile, le miel et la purée de cacahuètes. Ajouter le jus de pomme et tous les autres ingrédients.

Placer la moitié de ce mélange dans un mixeur jusqu'à ce qu'il soit lisse. Mixer de nouveau avec l'autre moitié.

Verser dans le moule et aplatir assez fortement – j'utilise un pilon. Enfourner pendant 30 à 35 mn.

Gâteau au yaourt et à la banane

Très bon en dessert aussi !

Préparation : 15 mn
Cuisson : 30-35 mn
Sans gluten et sans blé

Ingrédients pour 6 personnes

4 bananes bien mûres

Le jus et le zeste d'1 citron

3 c. à s. de sucre brun

500 g de yaourt grec

Pour servir

2 brins de menthe fraîche hachés

30 g de pistaches hachées

Miel

Préchauffer le four à 180 °C (th. 6) et préparer un moule à gâteau carré.
Mixer les bananes, le citron, le sucre et le yaourt.

Mettre l'ensemble dans le moule et enfourner pendant 30 à 35 mn.

Avant de servir, saupoudrer chaque portion de menthe et de pistaches, et verser un peu de miel.

5 plats paléo

Spaghetti de courgettes aux crevettes

Préparation : 10 mn
Cuisson : 10 mn
Sans blé, sans gluten, paléo et pauvre en glucides

Ingrédients pour 2 personnes

2 petites courgettes

1 gousse d'ail

100 g de tomates semi-séchées à l'huile ou 1 poignée de tomates cerise

200 g de crevettes cuites

30 g de pignons de pin

4 brins de basilic frais

1 c. à c. d'huile d'olive

Sel et poivre

Préparer les légumes : tailler les courgettes en julienne, façon « spaghetti ». Écraser l'ail. Égoutter les tomates et les couper en deux ; si vous prenez des tomates cerise, les couper simplement en quatre.
Chauffer l'huile dans une poêle antiadhésive, ajouter les courgettes et cuire 4 à 5 mn sur feu modéré. Ajouter tous les autres ingrédients et cuire encore 3 à 4 mn.

Assaisonner.

OPTION
Ajouter ½ chili rouge frais haché pour une version piquante !

Saumon au curry coco

C'est encore meilleur si le saumon peut mariner quelques heures. Les épices peuvent être remplacées par 1 c. à c. de poudre de curry.

Préparation : 10 mn
Marinade : au moins 1 h
Cuisson : 10 mn
Sans blé, sans gluten, paléo et pauvre en glucides

Ingrédients pour 2 personnes

2 pavés de saumon (125 g environ par pavé)

1 oignon nouveau

1 cm de gingembre frais

1 gousse d'ail

200 ml de lait de coco

1 c. à s. de purée de tomates

½ c. à c. de cumin en poudre

½ c. à c. de coriandre en poudre

½ c. à c. de poudre de garam masala

Sel et poivre

Pour servir

½ citron vert coupé en deux

4 brins de coriandre frais

Préparer les légumes : hacher l'oignon, râper le gingembre et l'ail.

Dans un petit bol, mélanger le lait, la purée de tomates, les épices et les légumes. Assaisonner.

Mettre les 2 pavés de saumon dans un plat allant au four et verser la sauce. Laisser mariner pendant au moins 1 h.

Préchauffer le four à 200 °C (th. 6-7). Enfourner pendant 15 à 20 mn.

Saupoudrer de coriandre juste avant de servir.

OPTION
Pour un plat « non paléo », servir avec du riz basmati.

Poulet avec des fajitas vertes

Très léger pour un dîner entre « filles ». Mais ça marche aussi pour les garçons !

Préparation : 15 mn
Marinade : au moins 1 h
Cuisson : 10 mn
Sans blé, sans gluten, paléo et pauvre en glucides

Ingrédients pour 2 personnes
2 filets de poulet
1 c. à c. d'huile de coco ou d'huile d'olive

Marinade
1 c. à s. de purée de tomates
½ c. à c. de cumin en poudre
½ c. à c. de paprika fumé
1 c. à c. d'origan
Le jus et le zeste d'½ citron vert
1 c. à c. de graines de chia ou de sésame

Guacamole
1 gros avocat bien mûr
½ chili rouge frais
4 brins de coriandre
Le jus et le zeste d'½ citron vert

Sel et poivre

Pour servir
1 tête de laitue « iceberg »

Couper chaque filet de poulet en 8 à 10 morceaux.

Mélanger tous les ingrédients pour la marinade. Placer le poulet dans un bol et verser la marinade, laisser reposer au moins 1 h.

Préparer le guacamole : écraser l'avocat, ajouter le chili en petits dés, la coriandre préalablement hachée et le jus de citron. Assaisonner.

Choisir 8 grandes feuilles de laitue « iceberg » et les laver. Hacher en lamelles la laitue qui reste.

Chauffer l'huile dans une poêle antiadhésive à feu vif, ajouter le poulet mariné et laisser cuire 3 mn chaque côté. Baisser la température et cuire encore 4 mn. Ajouter les lamelles de laitue et les graines. Assaisonner.

Pour servir, utiliser les feuilles de laitue comme un wrap. Pour chaque « wrap », mettre 1 c. à s. de guacamole et 2 ou 3 morceaux de poulet. À déguster sans complexe avec les doigts !

Canard à l'orange

Le canard se marie très bien avec la patate douce.
Attention ! La sauce soja peut contenir du gluten. Pour éviter tout risque si vous souffrez de la maladie cœliaque ou d'allergies au blé, sélectionnez la sauce soja tamari.

Préparation : 10 mn
Marinade : 10 mn
Cuisson : 30 mn
Sans blé, sans gluten et paléo

Ingrédients pour 2 personnes
250 g d'aiguillettes de canard
1 cm de gingembre frais
Le jus et le zeste d'½ orange
Le jus d'½ citron vert
1 c. à s. de sauce soja tamari
½ c. à c. de cinq-épices en poudre
1 c. à c. de vinaigre de riz
1 grosse patate douce (autour de 400 g)
1 pincée de cannelle
1 c. à c. de beurre ou d'huile de coco
4 brins de coriandre fraîche hachés
Sel et poivre

Hacher le gingembre. Mélanger le jus et le zeste de l'orange et du citron, la sauce soja, le gingembre, les épices et le vinaigre ensemble. Placer les aiguillettes dans la marinade et les laisser reposer pendant la préparation de la purée.

Éplucher la patate douce et la couper en dés de 1 ou 2 cm. Cuire à la vapeur pendant 20 mn. Mixer avec la cannelle jusqu'à ce que la purée soit lisse. Assaisonner.

Chauffer 1 c. a c. d'huile de coco ou de beurre dans une poêle antiadhésive à feu vif. Ajouter le canard mariné et faire revenir 2 mn de chaque côté. Saupoudrer de coriandre hachée.

Servir avec la purée.

OPTION
Les nouilles soba peuvent remplacer la purée.

Rôti de porc

Préparation : 10 mn
Cuisson : 35 mn
Sans blé, sans gluten, paléo et pauvre en glucides

Ingrédients pour 2 personnes

300 g d'aloyau de porc
4 brins de persil frais hachés
1 c. à c. d'huile d'olive
Le jus et le zeste d'½ citron
1 c. à s. de pignons de pin
1 c. à c. de moutarde de Dijon

Pour les légumes

1 gros bulbe de fenouil
1 oignon rouge
1 c. à c. d'huile d'olive
2 brins de romarin frais
Sel et poivre

Préchauffer le four à 210 °C (th. 7).

Préparer les légumes : laver et trancher le fenouil et l'oignon en 8 tranches.

Mettre dans un plat allant au four. Verser l'huile d'olive et les brins de romarin et enfourner pendant 10 mn.

Préparer le porc : mixer le persil, l'huile d'olive, le jus et le zeste du citron puis les pignons de pin jusqu'à obtenir une sauce lisse.

Étaler la moutarde sur le porc, puis la sauce par-dessus. Placer sur les légumes et remettre au four pendant 25 mn, en baissant la température à 180 °C (th. 6) après 10 mn.

Laisser reposer pendant 5 min avant de servir.

OPTION
Servir avec du sarrasin pour un plat plus copieux.

Gâteaux au maïs

Une recette très facile pour les enfants, à faire en autonomie. Ils sont aussi moins sucrés que les pétales de maïs que l'on trouve tout faits. De plus, les graines et la purée d'amandes apportent le bon gras !

Préparation : 15 mn
Temps de refroidissement : 2 h
Sans blé, sans gluten

Ingrédients pour 12 gâteaux
100 g de beurre
75 g de sirop d'érable ou de miel
40 g de poudre de cacao
30 g de purée d'amandes ou de cacahuètes
100 g de pétales de maïs
50 g de graines de tournesol

Préparer 12 moules à muffins sur un plat.

Dans une grande casserole, faire fondre le beurre, le sirop (ou le miel), la poudre de cacao et la purée d'amandes sur feu doux.

Dès que tout est bien fondu, ajouter les pétales de maïs et les graines. Bien mélanger, pour enrober tous les pétales.

Utiliser une cuillère à soupe pour remplir les moules. Mettre au frigo au moins 2 h.

OPTION
Ajouter des pépites de chocolat noir au maïs et aux graines.

Cookies « rustiques » banane-chocolat

Une bonne recette pour utiliser les bananes trop mûres.

Préparation : 15 mn
Cuisson : 20 mn
Sans blé, sans gluten

Ingrédients pour 12 cookies

3 bananes

1 c. à s. de miel

150 g de flocons d'avoine

50 g de pépites de chocolat

Préchauffer le four à 190 °C (th. 6-7). Préparer une plaque de cuisson et la couvrir de papier cuisson.

Écraser les bananes et ajouter tous les autres ingrédients. Utiliser une cuillère à soupe pour former 12 petits disques sur la plaque de cuisson.

Enfourner pendant 20 mn, puis laisser les cookies refroidir sur la plaque de cuisson pendant 10 mn.

Gâteau pomme-quinoa

Préparation : 15 mn
Cuisson : 35-40 mn
Sans blé, sans gluten

Ingrédients pour 8-10 personnes

125 g de quinoa

250 ml de jus de pomme

125 g de poudre de noisettes ou d'amandes

100 g de beurre fondu

80 g de sucre brun

1 c. à c. de levure chimique

½ c. à c. de quatre-épices (facultatif)

3 œufs battus

2 grosses pommes épluchées et coupées en dés

Préchauffer le four à 180 °C (th. 6) et préparer un moule à gâteau de 22-23 cm environ.

Rincer le quinoa et le mettre dans une casserole avec le jus de pomme. Porter à ébullition, puis baisser la température et cuire encore pendant 10 mn.

Mixer le contenu de la casserole jusqu'à obtenir une consistance lisse. Transvaser dans un grand bol et ajouter tous les autres ingrédients. Mélanger et verser dans le moule (ne pas s'inquiéter si la préparation est liquide, c'est normal).

Enfourner pendant 35 à 40 mn.

Gâteau à la mode des Antilles

Préparation : 15 mn
Cuisson : 35-40 mn
Sans blé, sans gluten

Ingrédients pour 8-10 personnes
50 g de raisins
Le jus et le zeste d'1 orange
3 œufs
100 g de sucre brun
175 g d'amandes en poudre
100 g de noix de coco râpée
125 g de beurre fondu
100 g de noix de pécan concassées
1 c. à c. de cannelle en poudre
200 g d'ananas frais (à défaut en boîte) coupé en dés

Préchauffer le four à 180 °C (th. 6) et préparer un moule à gâteau de 22-23 cm environ.

Placer les raisins dans un petit bol avec le jus d'orange. Laisser macérer 10 mn.

Battre les œufs, le zeste d'orange et le sucre ensemble dans un grand bol. Ajouter les amandes, la noix de coco, le beurre fondu, les noix de pécan et la cannelle. Mélanger le tout. Ajouter les raisins macérés et l'ananas.

Verser dans le moule. Enfourner pendant 35 à 40 mn.

OPTION
En dessert, servir avec une sauce vanillée au mascarpone.

Brownies à la betterave

Même si vous détestez la betterave, ces brownies sont bons. Testez votre goût de l'aventure et essayez-les !

Préparation : 15 mn
Cuisson : 30 mn
Sans blé, sans gluten

Ingrédients pour 16 brownies
300 g de betteraves cuites
200 g de chocolat noir à 75 %
100 g de beurre
5 c. à s. de sirop d'érable (100 g)
3 œufs
Le zeste d'1 orange
100 g de farine de châtaigne ou d'une autre farine sans gluten
25 g de poudre de cacao
1 c. à c. d'extrait de vanille

Préchauffer le four à 180 °C (th. 6) et préparer un moule à gâteau carré.

Mettre le chocolat en morceaux, le beurre et le sirop d'érable dans une grande casserole et faire fondre sur feu très doux. Laisser refroidir 10 mn.

Mixer les betteraves en purée. Battre les œufs et le zeste d'orange ensemble. Verser dans la casserole, puis y ajouter les betteraves, la farine, la poudre de cacao et l'extrait de vanille.

Verser le tout dans le moule. Enfourner pendant 25 mn.

Crackers de flocons d'avoine

Ils sont délicieux avec le fromage. Ils sont aussi très bons au goûter avec de la purée d'amandes ou du miel.

Préparation : 15 mn
Cuisson : 25 mn
Sans blé, sans gluten

Ingrédients pour 12-15 crackers

200 g de flocons d'avoine

50 g de graines de lin (facultatif)

3 c. à s. d'huile d'olive

½ c. à c. de sel

2 brins de romarin hachés

100 ml d'eau chaude

Préchauffer le four à 190 °C (th. 6-7).

Préparer une plaque allant au four et la couvrir avec du papier cuisson. Y verser les flocons et les graines de lin et enfourner pendant 5 mn.

Mixer les flocons et les graines jusqu'à obtenir une consistance de « grumeaux ».

Mélanger avec tous les autres ingrédients jusqu'à obtenir une pâte lisse, en ajoutant davantage d'eau chaude si nécessaire.

Sur un plan de travail, aplatir la pâte à 5 mm d'épaisseur et découper des disques.

Enfourner pendant 15 à 20 mn.

OPTION

Option facile : rouler la pâte entre 2 feuilles de silicone et la mettre sur une plaque de cuisson. Enlever la feuille du dessus et cuire pendant 20-25 mn. Casser en grands morceaux. Rustique, bon et sans stress !

Vous pouvez aussi ajouter une petite poignée de raisins secs et les mélanger avec les autres ingrédients avant d'aplatir.

Gâteau aux châtaignes « Castagnaccio »

Très connu en Toscane, je l'apprécie tout autant au petit déjeuner qu'avec le fromage !
Avec sa consistance de pudding, vraiment, j'adore !

Préparation : 15 mn
Cuisson : 45-50 mn
Sans blé, sans gluten, pauvre en glucides

Ingrédients pour 8-10 personnes
2 c. à s. de raisins secs
Le jus d'1 orange
400 g de farine de châtaigne
3 c. à s. de sucre brun
4 c. à s. d'huile d'olive
1 pincée de sel
450 ml d'eau
2 c. à s. de pignons de pin
4 brins de romarin hachés

Préchauffer le four à 160 °C (th. 5-6) et préparer un moule à gâteau de 22-23 cm environ.

Placer les raisins dans un petit bol avec le jus d'orange. Laisser macérer 10 mn. Mélanger ensemble la farine, le sucre, l'huile, le sel et de l'eau jusqu'à obtenir une pâte lisse.

Ajouter les raisins macérés et verser dans le moule. Saupoudrer de pignons de pin et de romarin.

Enfourner pendant 45 à 50 mn. La surface va se craqueler, ne vous inquiétez pas. C'est normal !

OPTION
Servir en dessert avec du miel et des figues fraîches.

Boules d'énergie crues

Un goûter « santé » pour les enfants.

Préparation : 5 mn
Sans gluten, sans blé, pauvre en glucides

Ingrédients pour 12 boules
150 g d'amandes grillées (en les mettant sous le gril pendant 3-4 mn)
200 g d'abricots secs mais moelleux
50 g de graines (chia par exemple)
20 g de flocons de céréales sans gluten (millet ou avoine)
1 c. à c. d'huile d'olive ou de coco
1 pincée de gingembre en poudre (facultatif)
50 g de noix de coco râpée

Mixer les amandes en poudre. Ajouter les autres ingrédients, sauf la noix de coco râpée, et mixer de nouveau jusqu'à obtenir une pâte souple.

Mettre la noix de coco dans un grand bol. Avec des mains bien propres (!), former 12 petites boules de pâte, puis les rouler dans la poudre de noix de coco. On peut ensuite se lécher les mains - miam !

Elles se conservent une semaine au frigo.

Délicieux bonbons sans sucre !

Supra-facile. Vous pouvez varier le fruit, sachant que vous avez besoin d'environ 400 g de purée.

Préparation : 10 min
Cuisson : 10 h (!)
Sans gluten, sans blé, pauvre en glucides

Ingrédients pour 10 « bonbons »
1 mangue bien mûre
2 bananes
½ cm de gingembre frais

Préchauffer le four à 90 °C (th. 3). Préparer une plaque de cuisson et la recouvrir d'une feuille en silicone.

Mixer les ingrédients ensemble et étaler sur la feuille, le plus finement possible. Laisser sécher dans le four pendant toute une nuit. En séchant, cela va ressembler à du cuir. En couper de longues lamelles pour régaler tout autant les enfants que les adultes...

OPTION
Prendre 3 pommes et les couper en tranches avec une mandoline. Mélanger ½ c. à c. de cannelle, le jus d'1 citron et 1 c. à s. d'huile, puis verser sur les pommes. Déposer le tout sur une plaque de cuisson et enfourner avec les bonbons pendant 10 h également. Quand vous descendrez le matin, la cuisine sentira très bon !

Meringues au sucre brun

Les meringues sont tellement sucrées que j'ai réduit le sucre en utilisant un sucre brun (un tout petit peu mieux que le sucre blanc !), et j'ai ajouté du bon gras avec les noisettes.

Préparation : 10 mn
Cuisson : 75 mn
Sans gluten, sans blé, pauvre en glucides

Ingrédients pour 8 meringues

4 blancs d'œufs

1 c. à c. de jus de citron

175 g de sucre brun

75 g de noisettes grillées et concassées

Pour servir

250 g de ricotta

1 c. à c. d'extrait de vanille

2-3 pêches (ou abricots frais, ou fruits de saison) coupées en petits dés

2 brins de menthe fraîche hachés

Préchauffer le four à 140 °C (th. 4-5). Préparer une plaque allant au four et la recouvrir de papier cuisson.

Fouetter les blancs d'œufs en neige avec le jus de citron. Ajouter 1 c. à s. de sucre et fouetter de nouveau. Répéter jusqu'à l'incorporation complète du sucre. Saupoudrer de noisettes. NE PAS MIXER !

Utiliser une grande cuillère pour confectionner 8 disques sur la plaque de cuisson et faire une petite marque sur chaque meringue pour ajouter les fruits plus tard.

Enfourner pendant 75 mn. Arrêter ensuite le four et laisser les meringues sécher avec la porte du four entrouverte.

Au moment de servir, mélanger la ricotta avec la vanille, les fruits et la menthe. Ajouter une bonne cuillerée à soupe du mélange sur chaque meringue.

Saumon chirashi, façon paléo

Attention ! La sauce soja peut contenir du gluten. Pour éviter tout risque si vous souffrez de la maladie cœliaque ou d'allergies au blé, sélectionnez la sauce soja tamari.

Préparation : 10 mn
Sans gluten, sans blé, pauvre en glucides

Ingrédients pour 2 personnes ou 4 verrines (pour une entrée ou un apéro)

½ tête de brocoli

2 brins de coriandre fraîche

1 petit avocat

100 g de saumon fumé

½ feuille de nori (facultatif)

1 c. à s. de graines de sésame

Vinaigrette

½ citron vert pressé

1 c. à c. d'huile de sésame

2 c. à c. de sauce soja salée tamari

1 c. à c. de vinaigre de riz

1 c. à c. d'eau

½ cm de gingembre frais haché

Mixer le brocoli et la coriandre jusqu'à l'obtention de petites graines semblables à du riz.

Placer dans 2 bols ou dans 4 verrines.

Préparer la vinaigrette en mélangeant tous les ingrédients.

Couper l'avocat en petits dés et le saumon fumé en lamelles. Les arranger au-dessus du brocoli. Couper la feuille de nori en lamelles avec des ciseaux. Saupoudrer de graines de sésame et de lamelles de nori.

Verser la vinaigrette.

OPTION
Remplacer le saumon fumé par des crevettes ou du saumon cru.

Houmous extra de Charlotte

Une recette qui a beaucoup plu dans mon livre Comment j'ai décroché du sucre. *Je la remets ici pour vous faire plaisir.*

Préparation : 10 mn
Sans gluten, sans blé

Ingrédients pour 4 personnes
425 g de pois chiches en boîte
2 gousses d'ail
½ citron confit
4 c. à s. d'huile d'olive
2 c. à s. de tahini
2 c. à s. de yaourt nature (lait entier ou grec)
Le jus de 2 citrons
½ c. à c. de cumin en poudre
½ c. à c. de paprika
Sel et poivre

Écraser l'ail. Rincer le citron confit et enlever la chair. Égoutter et rincer les pois chiches. Mixer tous les ingrédients jusqu'à obtenir une pâte très molle. Ajouter plus d'huile ou de jus de citron selon votre goût.

Servir avec des crudités et les crackers de flocons d'avoine.

Petites frittatas

Pour un brunch, ou pour un déjeuner accompagné d'une salade verte. C'est aussi une bonne façon d'utiliser les jaunes d'œufs.

Préparation : 10 mn
Cuisson : 20-25 mn
Sans gluten, sans blé, pauvre en glucides

Ingrédients pour 9-10 frittatas
4 jaunes d'œufs (ou 2 œufs)
4 œufs
250 g de ricotta
40 g de parmesan
10-12 quartiers de tomates semi-séchées à l'huile
5 tranches de viande des Grisons
1 petite poignée de pousses d'épinards
4 brins de basilic frais
30 g de pignons de pin
1 petit filet de Tabasco® (facultatif)
Sel et poivre

Préchauffer le four à 200 °C (th. 6-7) et préparer des moules à muffins en silicone.

Râper le parmesan. Couper les tomates en petits dés, trancher la viande des Grisons et hacher les épinards et le basilic.

Mixer les œufs avec la ricotta jusqu'à obtenir une pâte lisse. Ajouter tous les autres ingrédients et verser dans les moules.

Enfourner pendant 20 à 25 mn.

Pizza verte façon paléo

Préparation : 10 mn
Cuisson : 15 mn
Sans gluten, sans blé

Ingrédients pour 2 personnes

2 courgettes de taille moyenne

1 petite boîte de sardines à la tomate (100 g environ)

4-5 champignons

Huile d'olive

1 brin de basilic frais (facultatif)

Sel et poivre

Couper les courgettes dans la longueur pour obtenir 4 grandes tranches de 0,5 cm d'épaisseur environ. On peut utiliser le reste des courgettes dans une salade. Mixer les sardines, laver et trancher les champignons.

Préchauffer le gril. Mettre les courgettes sur une plaque de cuisson avec un filet d'huile d'olive. Les faire griller 4 mn de chaque côté.

Étaler sur une plaque à pizza les courgettes puis les sardines. Ajouter les champignons tranchés. Verser un filet d'huile d'olive et remettre sous le gril pendant 4-5 mn.

Pizza à la polenta

Préparation : 10 mn
Cuisson : 15 mn
Sans gluten, sans blé

Ingrédients pour 4 personnes

300 g de polenta

1 l de bouillon

1 gousse d'ail écrasée

40 g de parmesan râpé (facultatif)

Sauce tomate (voir recette du crumble végétalien)

Épinards cuits

1 boule de mozzarella (120 g environ)

Huile d'olive

Préchauffer le four à 210 °C (th. 7), préparer une plaque de cuisson et la recouvrir d'une feuille de silicone.

Cuire la polenta : verser le bouillon dans une grande casserole et ajouter l'ail écrasé. Porter à ébullition, puis verser la polenta de façon progressive et régulière, et cuire pendant 4-5 mn en mélangeant fréquemment jusqu'à obtenir une pâte très épaisse. Ajouter le parmesan et assaisonner.

Utiliser une spatule pour étaler la polenta en forme de rectangle sur la plaque de cuisson. Vous pouvez faire cette étape à l'avance.

Garnir avec la sauce tomate, les épinards cuits et la mozzarella coupée en dés. Verser un filet d'huile d'olive.

Enfourner pendant 10 à 15 mn, jusqu'à ce que le fromage soit doré.

Salade chaude au sarrasin et à la betterave

Naturellement sans gluten !

Préparation : 10 mn
Cuisson : 40 mn
Sans gluten, sans blé

Ingrédients pour 2 personnes

100 g de sarrasin (kasha)

400 g de courge butternut (environ ½ petite courge)

1 grosse betterave cuite

1 petit oignon rouge

Huile d'olive

30 g de noisettes

50 g de feta

1 grosse poignée de roquette

Vinaigrette

Le jus d'½ orange ou d'1 clémentine

1 c. à s. d'huile d'olive

1 c. à s. de vinaigre de cidre

Une pincée de paprika

½ c. à c. de graines de coriandre (facultatif)

Sel et poivre

Préchauffer le four à 200 °C (th. 6-7).

Préparer les légumes : enlever la peau de la courge butternut et la découper en dés de 1 cm environ. Couper la betterave en dés un peu plus gros, puis l'oignon en tranches fines. Mettre les légumes dans un plat de cuisson et ajouter de l'huile d'olive. Assaisonner et enfourner pendant 35 à 40 mn. Ils doivent être un peu grillés.

Pendant que les légumes sont en train de rôtir, cuire le sarrasin selon les instructions du paquet.

Préparer la vinaigrette : écraser la coriandre et mélanger avec les autres ingrédients.

Écraser les noisettes. Couper la feta en petits dés.

Dès que les légumes sont cuits, ajouter le sarrasin cuit, les noisettes, et remettre au four pendant 5 mn.

Mettre le tout dans un bol, verser la vinaigrette et ajouter le fromage et la roquette. Bien mélanger puis servir.

OPTION
Le fromage peut être remplacé par un filet de maquereau fumé.

Pilaf teff et poivrons

Le pilaf est très facile à faire et on peut terminer ainsi des restes de graines et de légumes.

Préparation : 10 mn
Cuisson : 20 mn
Sans gluten, sans blé

Ingrédients pour 2 personnes

100 g de teff ou millet

½ oignon

1 poivron rouge

1 poivron jaune

1 courgette

1 boîte de pois chiches (425 g environ)

30 g d'amandes grillées et concassées

4 brins de coriandre fraîche

Huile d'olive

½ citron pressé

Sel et poivre

Cuire le teff selon les instructions et mettre de côté.

Pendant ce temps, préparer les légumes. Hacher l'oignon, enlever les pépins ainsi que les parties blanches des poivrons et les couper en petits dés. Couper la courgette en dés un peu plus gros.

Égoutter et rincer les pois chiches. Concasser les amandes et hacher la coriandre.

Verser un filet d'huile dans une grande poêle. Cuire l'oignon avec une grande pincée de sel pendant 4-5 mn. Ajouter les poivrons et la courgette et cuire à feu modéré pendant 10 mn. Ajouter le teff, les pois chiches, la coriandre et les amandes avec 2-3 c. à s. d'eau. Cuire encore 5 mn. Verser le jus d'½ citron et assaisonner.

OPTION

Remplacer le teff par du riz ou du quinoa.

Salade « bijou » au chou-fleur et au brocoli

Préparation : 10 mn
Cuisson : 40 mn
Sans gluten, sans blé

Ingrédients pour 2 personnes
150 g de chou-fleur
150 g de brocoli
1 petit bulbe de fenouil
Huile d'olive
1 pincée de paprika et de cumin
½ citron confit
2 oignons nouveaux
4 brins de persil frais
½ grenade
200 g de quinoa cuit
200 g de lentilles vertes cuites
1 c. à s. d'huile d'olive ou d'huile d'argan
Sel et poivre

Préchauffer le four à 200 °C (th. 6-7).

Préparer les légumes : séparer le chou-fleur et le brocoli en petits bouquets. Couper le fenouil en tranches fines. Mettre les légumes dans un plat de cuisson et ajouter l'huile d'olive, le cumin et le paprika. Assaisonner et enfourner pendant 30-40 mn. Ils doivent être un peu grillés.

Pendant que les légumes sont en train de rôtir, rincer le citron confit, enlever la chair et couper en petits dés. Couper les oignons nouveaux en tranches fines et hacher le persil.

Enlever les pépins de la grenade. (Petite astuce : rouler la grenade sur une surface dure et plate pendant 5 mn pour déloger les pépins !)

Dès que les légumes sont cuits, les déposer dans un bol et ajouter le quinoa, les lentilles, le citron, les oignons nouveaux, les pépins de grenade, le persil et l'huile. Assaisonner.

OPTION
Mélanger 100 g de yaourt nature et 2 brins de menthe et servir en dip.
Incorporer l'autre moitié de la grenade dans un yaourt grec avec du miel. Miam !

Crumble végétalien au fenouil et aux amandes

Préparation : 10 mn
Cuisson : 30 mn
Sans gluten, sans blé

Ingrédients pour 2 personnes
1 gros bulbe de fenouil
Huile d'olive

Pour la sauce tomate « speed »
1 belle grappe de tomates cerises
2 oignons nouveaux
4 brins de basilic frais
1 c. à c. de vinaigre balsamique
1 c. à s. d'olives noires dénoyautées

Pour le crumble
50 g de flocons d'avoine
50 g d'amandes en poudre
25 g d'huile d'olive
Sel et poivre

Préchauffer le four à 200 °C (th. 6-7).

Préparer le fenouil : le couper en tranches fines. Mettre dans un plat de cuisson et ajouter de l'huile d'olive. Assaisonner et enfourner pendant 30 mn.

Pour la sauce tomate : mixer tous les ingrédients ensemble (sauf les olives), verser dans une casserole avec les olives et cuire à feu modéré pendant 10 mn.

Pour le crumble : utiliser les mains pour mélanger tous les ingrédients, verser dans un autre plat de cuisson et enfourner pendant 15 mn. L'idée est d'avoir de grosses miettes toastées !

Pour l'assemblage : dans un plat, mettre les tranches de fenouil, puis la sauce tomate, et recouvrir de crumble. Enfourner de nouveau pour 10 mn.

OPTION
Le crumble peut être préparé à l'avance.

Salade du garde-manger

Délicieux et facile à faire quand on n'est pas motivé pour cuisiner !

Préparation : 10 mn
Sans gluten, sans blé

Ingrédients pour 2 personnes
½ oignon rouge
1 courgette
½ citron pressé
1 poignée de tomates cerises
450 g de cœurs de palmier en boîte, égouttés
425 g de haricots rouges en boîte, égouttés
1 boîte de thon égoutté (120 g environ)
1 poignée de pousses de salade
Herbes fraîches hachées (persil, basilic, etc. – selon vos goûts)

Pour la vinaigrette
1 c. à s. d'huile d'olive
2 c. à c. de vinaigre
½ c. à c. de moutarde à l'ancienne
Sel et poivre

Hacher l'oignon en fines lamelles et couper la courgette en dés. Arroser avec le jus de citron.

Couper les tomates cerises en deux et les cœurs de palmier en rondelles. Placer les légumes, les haricots rouges et le thon dans un saladier.

Ajouter la salade et les herbes fraîches.

Préparer la vinaigrette et la verser dans le saladier. Mélanger doucement l'ensemble avant de servir.

Clafoutis aux pruneaux

Préparation : 15 mn
Cuisson : 30 mn
Sans gluten et sans blé

Ingrédients pour 4 personnes

500 g de pruneaux

150 ml de lait entier

50 ml de crème liquide

1 c. à s. de rhum (facultatif mais très bon !)

3 œufs

3 c. à s. de sucre brun

1 c. à s. de fécule de maïs

Préchauffer le four à 170 °C (th. 5-6).

Mélanger tous les ingrédients sauf les pruneaux et mettre de côté.

Préparer et graisser un plat rond allant au four.

Couper les pruneaux en deux, enlever le noyau et recouper chaque moitié en trois.

Les arranger dans le plat. Verser dessus la préparation aux œufs et enfourner pendant 30 à 35 mn.

Pêches d'été

Préparation : 15 mn
Cuisson : 30 mn
Sans gluten et sans blé

Ingrédients pour 4 personnes

4 grosses pêches

4 grands ou 8 petits biscuits amaretto (naturellement sans gluten)

2 feuilles de menthe, hachées

2 c. à s. d'amandes en poudre

1 pincée de cannelle

2 c. à s. de beurre fondu

25 ml de vin blanc sucré

Préchauffer le four à 170 °C (th. 5-6). Préparer un grand plat rond allant au four.

Couper les pêches en deux et les mettre dans le plat.

Mixer les amaretto, la menthe, les amandes et le beurre ensemble. Placer 1 c. à c. de ce mélange sur chaque pêche. Verser le vin dans le plat.

Enfourner pendant 30 à 35 mn.

OPTION
Servir avec un sorbet aux fruits rouges.

Crumble aux fruits

Le pain sans gluten se conserve moins longtemps que son équivalent avec gluten ; cette recette est donc une bonne façon d'optimiser les restes.

Préparation : 15 mn
Cuisson : 30-35 mn
Sans gluten et sans blé

Ingrédients pour 4-6 personnes

1 kg de fruits (congelés si hors saison)
1-2 c. à s. de sucre
200 g de pain sans gluten (encore mieux s'il est un peu dur)
50 g de flocons d'avoine
50 g de noisettes en poudre
100 g de beurre fondu
60 g de sucre brun
1 c. à c. de cannelle

Préchauffer le four à 170 °C (th. 5-6). Préparer un grand plat rond allant au four.

Laver les fruits rouges et les disposer dans le plat. Saupoudrer de 2-3 c. à soupe de sucre brun selon votre goût.

Réduire le pain en miettes et l'incorporer aux autres ingrédients.

Verser cette préparation sur les fruits. Enfourner pendant 30 à 35 mn.

Gâteau poire-chocolat

Préparation : 15 mn
Cuisson : 35-40 mn
Sans blé, sans gluten

Ingrédients pour 8 personnes

3 poires pas trop mûres
100 g de chocolat noir à 75 %
100 g de beurre
1 c. à s. de brandy
3 œufs
60 g de sucre brun
75 g de poudre d'amandes

Préchauffer le four à 180 °C (th. 6) et préparer un moule à gâteau rond préalablement graissé avec du beurre ou de l'huile.
Éplucher les poires et les couper en grosses tranches. Les disposer dans le moule.
Mettre le chocolat en morceaux et le beurre dans une grande casserole et faire fondre sur feu très doux. Mettre de côté, ajouter le brandy et laisser refroidir pendant 5 mn.

Séparer les blancs des jaunes d'œufs. Battre les jaunes avec le sucre ; incorporer en douceur le chocolat fondu, les amandes, puis les blancs d'œufs préalablement battus en neige.

Verser dans le moule et enfourner pendant 35 à 40 mn.

Cheese-cake au tofu

Préparation : 15 mn
Cuisson : 35-40 mn
Sans blé, sans gluten, sans « rien » !

Ingrédients pour 8 personnes
100 g de pain aux fleurs (biscottes sans gluten) ou de flocons d'avoine
2 dattes Medjool
50 g de noix de pécan
2 c. à c. d'huile d'olive ou de coco
2 c. à s. de fécule de maïs
2 c. à s. de lait ou d'eau
600 g de tofu soyeux
1 c. à s. de purée d'amandes
60 g de sucre de coco ou de sucre brun
Le jus et le zeste de 2 citrons

Préchauffer le four à 180 °C (th. 6). Dans un blender, mixer le pain aux fleurs, les dattes, les noix de pécan et l'huile.

Placer et aplatir la préparation dans un moule à gâteau rond et enfourner pour 5 mn. Sortir et laisser refroidir.

Mélanger la fécule de maïs avec 2 c. à s. de lait ou d'eau.

Mélanger le tofu, la fécule de maïs, la purée d'amandes, le sucre, le jus et le zeste des citrons. Verser dans le moule et enfourner pendant 35 à 40 mn.

Laisser refroidir et placer au frigo.

OPTION
Servir avec une compote aux fruits rouges.

Je dirai donc qu'il faut de la mesure en toutes choses.
Dans la vie, comme pour les cookies !
FARINE

CONCLUSION

Faut-il alors inscrire le gluten sur la **liste noire** des aliments ? Comme pour de nombreux sujets, je ne pense pas qu'une approche aussi manichéenne soit la solution. Surtout dans le domaine alimentaire, où les problèmes de santé sont en général causés par les excès (comme le sucre) ou à l'inverse par les manques (comme le bon gras et les légumes !). Rougirons-nous dans dix ans en repensant à cette vague du « sans gluten » ? Ce n'est pas impossible, mais d'ici là, un nouveau monstre alimentaire aura sans doute été identifié ! Certes, les personnes atteintes de la maladie cœliaque et/ou allergiques au blé doivent éviter respectivement le gluten et le blé.

Et les personnes souffrant de sensibilité au gluten doivent la prendre au sérieux. Dans votre cas, c'est peut-être une question de dosage. Réduire la quantité de gluten consommé et recourir à des méthodes traditionnelles de cuisson du blé avec des périodes de fermentation plus longues peuvent être des pistes à explorer. Avec l'évolution constante des sciences de la nutrition, tous les espoirs sont permis pour **mieux comprendre** les raisons de cette sensibilité au gluten.

Les gens critiquent parfois rapidement les régimes sans gluten sans en comprendre tous les tenants et les aboutissants. Il n'existe pas de régime universel et il vous faut trouver ce qui vous convient le mieux. Si vous vous sentez **plus en forme et plus heureux sans gluten**, c'est que ce régime est fait pour vous !

Soyons toutefois conscients de l'**effet « nocebo »**. Pour la majorité des personnes non sensibles au gluten, il n'y a aucune raison d'éviter le blé ou ses produits dérivés. En revanche, **éviter les produits trop transformés**, qu'ils contiennent ou non du gluten, est beaucoup plus sensé quand on veut prendre soin de sa santé.

Par ailleurs, avons-nous vraiment besoin de toutes ces gammes de produits sans gluten qui apparaissent dans les rayons des supermarchés ? Encore une fois, si vous pensez qu'ils sont meilleurs pour la santé, rappelez-vous qu'ils ont un **contenu nutritionnel semblable** à leurs équivalents sans gluten. Un biscuit sans gluten contiendra encore souvent beaucoup de sucres et de graisses transformées.

Un dernier rappel sur l'importance de la variété dans l'alimentation. Les produits naturellement sans gluten sont nombreux, il suffit d'organiser ses menus, ses courses et sa cuisine... Pensez à tous ces aliments que vous pourriez inclure dans vos repas. Vous ne pouvez peut-être pas manger de blé, d'orge ou de seigle, mais il y a **le teff, le quinoa, le sorgho, le sarrasin, le riz, le maïs, les pommes de terre**, etc.

Si vous devez éviter le gluten, adoptez une **approche mesurée et équilibrée**, et gardez votre sens de l'humour, car manger doit rester un plaisir.

Décrochez du gluten sans culpabilité, avec du style et avec le sourire !

Dans la même collection

Imprimé en Espagne chez Macrolibros
pour le compte des éditions Marabout (Hachette Livre) – 58 rue Jean-Bleuzen - 92170 Vanves - Cedex
Achevé d'imprimer en mars 2016 – Dépôt légal : avril 2016 – Codification : 3753689 – ISBN : 9782501111553

MARABOUT
s'engage pour l'environnement
en réduisant l'empreinte carbone
de ses livres.
Celle de cet exemplaire est de :
1100 g éq. CO_2
Rendez-vous sur
www.marabout-durable.fr